La frontera no es solo un muro. No es simplemente una línea en un mapa. No es ninguna ubicación física. Es una estructura de poder, un sistema de control. La frontera está en cualquier lugar donde la gente viva con miedo a la deportación, en todos los sitios donde a los migrantes se les niega los derechos concedidos a los ciudadanos, en todas las partes donde los seres humanos son segregados entre *incluidos* y *excluidos*.

La frontera no separa un mundo de otro. Solo hay un mundo y la frontera lo está destrozando.

No habrá muro que nos pare

Título original de la obra: No Wall They Can Build
Subtítulo: a guide to borders & migration across North America

Autores: Escrito por un ex-trabajador de ayuda humanitaria del desierto

1ª edición norteamericana 2017, CrimethInc. Far East. PO Box 4671. Salem OR 97302. inquiries@crimethinc.com.

Edición actual noviembre 2018, Barcelona
Col·lecció *Glosalya*
Descontrol Editorial

ISBN: 978-84-17190-55-2
Depósito Legal: B 28690-2018

Traducido por Crimethinc
Diseño: Descontrol Editorial
Maquetación: Descontrol Editorial
Corrección: Mariano Martínez Paredes

Impreso en Impremta Descontrol
impremta@descontrol.cat

Editado por Descontrol Editorial
c/Constitució 11, Can Batlló, Bloc 11, Nau 83-90, 08014 -Barcelona-

editorial@descontrol.cat
distribució@descontrol.cat
descontrol.cat

934223787

No habrá muro que nos pare

Una guía de las fronteras y
la migración a través de Norteamérica

para todos los que no lo lograron
y para quienes lo hicieron

Si la visa universal se extiende
El día en que nacemos
Y caduca en la muerte
¿Por qué te persiguen mojado
Si el cónsul de los cielos
Ya te dio permiso?

"Mojado", Ricardo Arjona

MEXICO
U.S

Índice

INTRODUCCIÓN

Este libro describe la frontera entre Estados Unidos y México como la conocí desde 2008. Escribí partes de este texto en 2011, que aparecen bajo el título de *Diseñada para Matar: Política fronteriza y Cómo Cambiarla*. Escribí el resto en 2016, en los meses antes de los elecciones presidenciales de los Estados Unidos. En febrero de 2017 es demasiado temprano para decir si la administración de Trump cambiará básicamente el sistema que describo aquí. Es posible que alguno diga que se convertirá en anticuado en los próximos años.

Por el momento, parece inevitable que el sufrimiento y la muerte que existe en la frontera continuará intensificándose bajo el nuevo régimen, y las autoridades actuales perseguirán la gente indocumentada aún más despiadadamente que las anteriores. En tal caso, espero que este libro servirá como un aviso de que tampoco no estuvo bien durante los años de Clinton, Bush ni Obama, y que los temas que abordo aquí no serán resueltos simplemente poniendo a la gente correcta de nuevo en el cargo. La pregunta no es quien debería administrar la frontera, sino cómo abolirla.

Pero permítanme presentar mis argumentos.

non sum dignus

"¡Ya vienen! ¡Ya vienen! *They are coming!*"

El ambiente estaba claro y frío, y el Gran Cazo había estado dando vueltas por encima de nuestras cabezas. José, María y yo estábamos acurrucados intentando preservar el calor. Por primera vez desde que la conocí, la voz de María sonaba presa del pánico. Unas pesadas botas se nos acercaban en la oscuridad.

Uno de los agentes lanzó algún tipo de lazo sobre nosotros, y me agarró por el cuello.

"¡¿Dónde está tu grupo?! ¡¿Dónde están los demás?!"

"Voy a permanecer en silencio. Quiero hablar con mi abogado." Quería sonar lo más calmado posible, pero mi voz probablemente se quebraba.

* * *

Había estado haciendo senderismo bien al norte de la frontera en el sur de California. Justo antes de anochecer, me encontré con José y María. Habían estado perdidos durante días, y a cada hora que pasaba se encontraban más enfermos. Esto fue durante los años de Bush. Entonces, no tenía un celular. Estábamos a varias millas de mi coche, en un lugar desolado. No sabía qué hacer. Decidí quedarme con ellos.

El esposo de María la había abandonado a ella y a sus cuatro hijos. Me dio a entender que había sido trabajadora sexual para poner comida en la mesa. José había viajado en trenes de carga hasta la frontera. Él no podía ni hablar de ello. No sabía qué le pasó exactamente durante el viaje.

Tenía el presentimiento de que algo malo iba a ocurrir. Un helicóptero había dado vueltas alrededor de nosotros antes. En una noche fría como esa, nuestros cuerpos iluminaron las cámaras infrarrojas como un árbol de navidad.

Estábamos en peligro.

* * *

"¿Eres su esposo? ¿Qué haces por aquí? ¡Qué carajo está pasando!¡Estás detenido!"

"Voy a permanecer en silencio. Me gustaría hablar con mi abogado."

Nos empujaron hacia la furgoneta.

María había recuperado su compostura. Puso su brazo sobre mi hombro. "No te preocupes," me dijo mientras la furgoneta brincaba. "Vamos a sobrevivir." José dejó caer su cabeza, la sacudió adelante y atrás, me miró, sonrió y volvió a dejarla caer.

* * *

Nos llevaron al centro de detención de la Patrulla Fronteriza. Éramos unos 200, sentados en filas bajo las luces, esperando a ser registrados.

Me habían separado de José y de María. Los podía ver a lo lejos, al otro lado del patio. Nunca volvería a ver a José. El hombre que estaba a mi lado hablaba inglés perfectamente.

"Estoy completamente jodido, hermano. Mi vida está totalmente destruida."

"A mi tampoco me va muy bien," le dije. "¿De dónde eres?."

"De Detroit," contestó. "¡Motown! ¡El rugido de los Leones! El 313, ¿sabes? Mi esposa está ahí, mis hijos... ¡todos! Es la tercera vez que me arrestan intentando volver a casa. Esta vez seguro que acabo en la cárcel, y si alguna vez me vuelven a atrapar, no quiero pensar en lo que me harían. No sé cómo lo hará mi esposa para pagar las cuentas, no sé quién está recogiendo a los niños a la salida de la escuela. No sé nada..."

"Yo tampoco," contesté.

"Quisiera poner a estos cabrones en mi situación. Quisiera poder hacerles lo que me hacen. Quisiera poner *sus* vidas al revés. Quisiera poder hacer pagar a alguien por todo esto."

Miré por encima del mar de caras de personas que me rodeaban. "Yo también."

* * *

Nos metieron a ochenta personas en un calabozo del tamaño de un dormitorio. Estábamos tan apilados unos encima de otros, que teníamos que turnarnos para estirarnos un rato debajo del retrete. Cada uno de mis brazos y piernas estaban apilados debajo o encima de los de las otras personas. Un hombre iba vestido con una bata de hospital. Las vendas de su mano izquierda y su bíceps estaban empapados de sangre. Los perros habían destrozado su chaqueta y mordido su brazo.

De vez en cuando los guardias me sacaban de la celda para interrogarme. ¿Por qué a *ti* te importa lo que le ocurra a estas personas? ¿Para quién trabajas? ¿Qué estabas haciendo *en verdad?*"

"Voy a permanecer en silencio. Me gustaría hablar con mi abogado." Finalmente se cansaban y me devolvían junto a los otros.

El calor, el olor y el hacinamiento era tal que pensé que estallaría un motín. La gente empezaba a volverse loca. Uno de los mayores intentaba razonar con un guardia.

"Oficial, por favor, somos demasiados aquí dentro. La gente va a empezar a pelearse entre sí. Seríamos más controlables si nos dividieran en dos celdas."

"Chinga tu madre, mojado. No deberías haber dejado que te atraparan un fin de semana."

Uno de los más jóvenes lo intentó también. "Señor, necesito pastillas para mi enfermedad mental. Están con todas mis cosas. Temo empezar a perder la cabeza si no tomo mi dosis. ¿Podría ver si las encuentra?"

"¡Sí, sí! ¿Quieres tu medicina? Ven aquí, ¡te voy a dar tu medicina!" Lo sacaron de la celda, le pegaron en la cara y le redujeron con un táser frente a todos nosotros. "¡Ahí tienes tu pinche medicina!"

En algún momento, otro de los mayores se puso de pie encima del retrete y empezó a cantar un corrido. Uno de los jóvenes le siguió de inmediato y luego otro, y otro... y contra todo pronóstico, el grupo mantuvo la calma.

* * *

Después de tres días, uno de los guardias abrió la puerta y me apuntó con el dedo.

"¡Tú, el ciudadano estadounidense! ¡Ven conmigo! Sales en libertad."

Mientras caminábamos hacia afuera de la instalación, el guardia recibió una llamada. "Quédate aquí," me dijo, dejándome solo frente a la ventana de vidrio laminado que daba al calabozo de las mujeres. Y ahí estaba María, sentada al fondo. Moví la mano frenéticamente para que me viera. Se acercó al frente del calabozo.

Me señalé, y con mis dedos índices y medio hice el gesto universal de caminar. Ella me señaló y después apuntó hacia la salida. Asentí con la cabeza y ella asintió también. Nos miramos. Puso las manos en el vidrio y yo le acerqué la mía. Hice con mi otra mano un puño y me golpeé tres veces sobre el corazón. Ella hizo lo mismo.

Apenas podía mantener la compostura. Ella no iba a llegar a Los Ángeles ni podría enviar dinero a sus hijos ni a su madre. Iba a volver a ser una trabajadora sexual en Mexicali. No era justo...

Se escucharon unos pasos por el pasillo. Deshice mi contacto visual con María en el último momento, me giré e intenté parecer normal.

El guardia dobló la esquina. "Vamos amigo. Te vas a casa."

Tras él, salí por la puerta, pestañeando para reprimir las lágrimas, de vuelta al sol.

Algunos años después, me mudé a Arizona.

Desde 2008 hasta 2015 trabajé en el sur de Arizona formando parte de una organización de ayuda humanitaria llamada "No More Deaths" (No Más Muertes), solidarizándose con migrantes y refugiados de México y Centroamérica que caminan por el desierto de Sonora intentando llegar a Estados Unidos. Durante más de 20 años, el gobierno estadounidense ha canalizado el flujo de movimiento humano hacia zonas cada vez más remotas de su frontera sur. Como resultado directo, miles de personas han muerto por el calor, el frío, enfermedad, heridas, hambre y sed. La misión de No Más Muertes es acabar con la muerte y el sufrimiento en las zonas fronterizas.

No Más Muertes se fundó en 2004 y desde entonces personas de todo el mundo y de toda condición social han trabajado voluntariamente con nosotros.[1] Durante todos estos años nos hemos ido familiarizando con el desierto de Sonora.

"La caridad, vertical, humilla.
La solidaridad, horizontal, ayuda."
Eduardo Galeano

---

1 No Más Muertes es una organización abierta, y nuestro trabajo es legal según las leyes estadounidenses. Sin embargo, el gobierno ha arrestado e intentado llevar a juicio varias veces a voluntarios. La detención en 2005 de Daniel Strauss y Shanti Sellz fue el caso más sonado y publicitado. En el momento de escribir este texto, todos los intentos de enjuiciamiento han fracasado, y nunca nadie ha sido condenado por delito alguno por nuestro trabajo en el desierto.

Encontramos lugares donde dejar comida y agua en los senderos que lo atraviesan; buscamos migrantes en apuros y proporcionamos ayuda médica a quien lo necesite. Tenemos un campamento base en el desierto que funciona todo el año, donde podemos ofrecer una mejor atención médica. Si la situación es grave podemos hacer que llegue una ambulancia o un helicóptero para llevar a la gente al hospital. Siempre tratamos de actuar de acuerdo a los deseos de los viajeros, y nunca llamamos a la Patrulla Fronteriza para las personas que no quieren entregarse a sí mismos. Nuestros esfuerzos sin duda han ayudado a reducir el número de muertes en la frontera de Arizona.

Durante todo el tiempo que trabajé en el desierto me vi involucrado en muchas situaciones extraordinarias e indirectamente en muchas otras. Algunas de las cosas que he visto son realmente reconfortantes, mientras que otro buen número de ellas fueron más bien tristes y negativas.

He visto a gente demasiado débil como para mantenerse en pie, demasiado enferma como para poder tragar agua, demasiado herida como para continuar, demasiado asustada como para dormir, demasiado triste como para hablar; a gente desesperadamente perdida, increíblemente hambrienta, literalmente muriéndose de sed, gente que nunca podrá volver a ver a sus hijos, vomitando sangre, gente sin un centavo con los zapatos rotos a 3000 kilómetros de su casa, sufriendo insolaciones, daños en el hígado, con terribles ampollas, heridas, hipotermia, estrés post-traumático y cualquier otra adversidad que se te pueda ocurrir.

He estado en lugares donde se robaba, violaba y asesinaba; mis amigos han encontrado cadáveres. Además de ser testigo del sufrimiento de otros, yo mismo he caído por acantilados, me he desgarrado la cara con alambre de púas, me he quedado sin agua, me han apuntado con armas, he sido esposado, detenido, encarcelado, me han embestido toros, me han sobrevolado buitres, me han acechado pumas, he saltado sobre serpientes de cascabel, he sacado fragmentos de cactus de diferentes partes de mi cuerpo con pinzas; me he tenido que quitar los pantalones al estar llenos de hormigas rojas, me han salido canas y, en general, he vertido mucho sudor, sangre y lágrimas en el sediento desierto.

Me he sentido avergonzado muchas veces por la increíble generosidad y valentía de las personas que he conocido; he sentido una rabia descontrolada por el despiadado sistema político y económico que hace que la gente llegue a tales extremos para proporcionar lo básico a sus familias. Conocí a miles de personas como José y María, cada una con una historia única que contar, pero con al menos una cosa en común: para los que redactan las políticas migratorias, las vidas de los migrantes no tienen valor y sus muertes no acarrean consecuencias.

Realizar este trabajo me ha dado muchas oportunidades de observar cómo se administra la frontera en el día a día, y también cierta profundidad en la comprensión de las funciones que desempeña en el capitalismo global, los objetivos reales a los que sirve. He estado en primera línea en una de las zonas calientes de la migración global, una posición estratégica de observación a la que relativamente pocas personas tienen acceso.

Así es como lo veo:

Norteamérica se compone de una economía única dividida por dos grandes fronteras. Una es la que separa México de Estados Unidos, y la otra entre México y Guatemala.[2] Mucha gente se ve obligada a migrar a través de estas fronteras debido a presiones que están más allá de su control. El objetivo de las políticas fronterizas tanto mexicanas como estadounidenses no es detener esa migración, sino administrarla y controlarla para beneficio de sectores concretos de ambas sociedades, lo que implica, como resultado predecible, la muerte de miles de personas. En última instancia, los controles de inmigración en esta parte del mundo equivalen a una forma de segregación sistemática donde los movimientos y los derechos civiles de ciertas personas son restringidos debido al lugar donde nacieron.

En otras palabras, *apartheid.*

Es más. Las dos fronteras que dividen Norteamérica circunscriben el mundo entero, debido básicamente a las mismas razones y con resultados casi idénticos. Separan Estados centrales y de transición de los Estados periféricos. Así como Norteamérica tiene una economía única, el mundo tiene una economía única, global: succiona recursos hacia el mercado laboral desde la periferia al nú-

---

2 Para los propósitos de este libro, la frontera entre Estados Unidos y Canadá es menos importante que las dos citadas. Aclarado esto, el sistema inmigratorio canadiense es distinto del estadounidense. Dejo el análisis para aquellos que tienen experiencia en este tema. Ver, por ejemplo, el libro de Harsha Waila *Undoing Border Imperialism* (Destruyendo el Imperialismo Fronterizo).

cleo.[3] Millones, si no miles de millones de seres humanos son sustituibles o superfluos en esta economía global, y las fronteras existen para regular sus movimientos: para mantener a cada persona en su lugar.

Creo que tanto una decencia básica como el sentido común dictan que los ciudadanos del Norte global deben actuar de forma concreta para minar este sistema global de castas y reintegrarnos al resto de la humanidad. Primero, porque es lo correcto. También porque en caso contrario la situación será tan insostenible que nuestra propia seguridad y supervivencia se verán eventualmente en riesgo. Un lugar donde empezar a hacerlo es la frontera. Hay muchos otros lugares donde se podría empezar.

Este libro es el producto de los siete años que mis amigos y yo pasamos en el desierto, intentando encontrar nuestro camino. Es una síntesis de innumerables conversaciones, interacciones y experiencias que compartí con miles de personas: migrantes, refugiados y personas indocumentadas; gente involucrada en la trata de personas, en el contrabando de droga y autoridades policiales; mis compañeros y voluntarios en No Más Muertes; y la gente con la que compartí tiempo mientras vivía, trabajaba, viajaba y participaba en movimientos sociales por todo México y Centroamérica. Las conclusiones que se presentan son las mías. No hablo en nombre de No Más Muertes o de nadie que no sea yo.

3 Estoy parafraseando el análisis de sistema mundial de Immanuel Wallerstein, aunque llegué a conclusiones similares gracias a mis experiencias en el desierto antes de conocer su trabajo.

Creo que la mayor parte de lo que cuente no será una novedad para muchos indocumentados, o para quienes viven en México o Centroamérica. Asumo la responsabilidad por aquello que pueda sonar no del todo cierto. Estoy escribiendo sobre todo para lectores del Primer Mundo que estén interesados en entender las dinámicas de la migración en Norteamérica, especialmente para aquellos que trabajan con y por los intereses de los migrantes y refugiados y por un mundo sin fronteras. Espero que algo de lo que he visto pueda ser útil para ese fin.

Ofrezco estas palabras como munición para cualquiera que desee intervenir cuando otras personas son tratadas como carne.

"Es bueno que guardes los huesos aquí," me comentó Jesús. Nos encontrábamos frente a una gran pila de huesos, la mayoría de vacas o ciervos, que nuestros voluntarios habían recolectado en el desierto. "Los animales sufren de hambre y sed, igual que nosotros. Son cazados al igual que nosotros. Mueren solos como nosotros, sin que nadie lo sepa o le importe. Es bueno que sean recordados también."

Jesús trabajaba en una tienda de silenciadores de automóvil en Bakersfield cuando fue deportado. Su esposa e hijos le esperaban ahí. Estuvieron esperándole seis meses mientras él estaba atrapado en Michoacán. Cuando encontró nuestro campamento llevaba caminando por el desierto seis días, solo y medio loco debido a la deshidratación y exposición a la intemperie.

Su melena negra estaba recogida en una pulcra cola de caballo. Vestía una chamarra de jean desgastada por el clima, blue jeans desgastados, una bonita hebilla en el cinturón, un sencillo collar y una camiseta negra ajustada de un club de motos del Sur de California. Incluso después de tan duras experiencias, no se podía negar que el hombre tenía estilo.

"Nos tratan como animales," dijo.

* * *

Jesús está ahora en casa, soldando tubos de silenciadores y criando a sus hijos. Antes de salir de nuestro campamento de vuelta al desierto, encontró un enorme trozo de madera en forma de corazón en el arroyo, lo pintó de rojo sangre y lo plantó en un pedestal de rocas que pintó de blanco.

"Este es nuestro corazón," me dijo. "El corazón de la gente, de todos nosotros, de cada persona que camina por aquí, de todos los que trabajan aquí, de toda la gente que murió aquí, de las vacas y los ciervos y también de los conejos. Quizá algún día las cosas sean diferentes. Volveré y nos sentaremos alrededor de esta cosa y contaremos historias de todo lo que ha ocurrido."

Ojalá que vivamos para ver el día.

"Benedicto: que tus senderos sean
tortuosos, serpenteantes, solitarios,
peligrosos, llevándote a la más
maravillosa de las vistas."

-Edward Abbey

Definiendo conceptos

Si no se indica lo contrario, la frontera se refiere a *la frontera* de México y Estados Unidos.

De la misma manera, *el desierto* hace referencia a la zona fronteriza del desierto de Sonora situado en el sur de Arizona, donde trabajé, sobre todo entre Sasabe y Nogales.

Los conceptos *migrantes y refugiados* se refieren a las personas que, sin tener la ciudadanía estadounidense, cruzan la frontera para vivir y trabajar en los Estados Unidos, con o sin la autorización o los documentos necesarios requeridos por las regulaciones inmigratorias estadounidenses. A veces ambos términos se fusionarán en "migrantes" o "viajeros." No hago distinciones entre "migrantes" que cruzan la frontera por razones "económicas" y "refugiados" que la cruzan para "escapar de la violencia o la persecución." Según mi experiencia, estas son categorías arbitrarias, y las motivaciones de la mayoría de la gente son una combinación de ambas. En muchas partes del mundo, es difícil distinguir entre la pobreza y "violencia y persecución."

De todas formas, "refugiado" goza de una definición concreta según las leyes tanto estadounidenses como internacionales. La mayoría de gente que cruza la frontera entra en esa definición, y el gobierno de Estados Unidos tiene una obligación legal de tratarles en consecuencia. El gobierno raramente cumple esa obligación y tiene un gran interés en definir a todas esas personas como migrantes. Debido a ello, creo que es importante que el concepto "refugiado" se utilice de forma más amplia en Estados Unidos para referirnos a la gente que cruza la frontera, a pesar de que no sea aplicable a todas esas personas. Obviamente hay migrantes y refugiados de todo el mundo que entran en los Estados Unidos por medios diferentes que el de cruzar la frontera, pero esos casos están fuera del alcance de este trabajo.

Migración irregular se refiere a la migración que tiene lugar fuera de las normas regulatorias de los países desde donde salen los migrantes, los que cruzan, o donde los reciben.

Personas indocumentadas se refiere a la gente que está en Estados Unidos o en México sin la autorización o los documentos que las leyes estadounidenses o mexicanas prescriben. Obviamente estas personas tienen algún tipo de documento, pero se utiliza este concepto a falta de otro más claro.

Trabajadores solidarios se refiere a personas (como yo mismo durante 7 años) adscritas a una perspectiva radical y cuya actividad política se orienta hacia las necesidades de otras, en este caso migrantes y refugiados. No es un concepto muy común, pero por muchas razones no me gusta el concepto "activista", y mucho menos su alternativa menos común, "aliado." Ninguna de esas palabras describe acertadamente nuestro papel en la frontera ni en la sociedad en general.

La casi perfecta frase "trabajadores de ayuda humanitaria del desierto" es un neologismo que se utiliza constantemente dentro de No Más Muertes, pero desconocido en cualquier otro lugar. Intento transmitir su espíritu y ampliar su alcance al tiempo que remarco el hecho de que personas como yo también estamos sujetos a las presiones del capitalismo.

Para facilitar la lectura, he seguido las normas de la gramática española estándar, con respecto al *género gramatical*. Así que se entienden términos como "los migrantes" o "trabajadores solidarios" como neutros de género y no implican que las personas a las cuales se refieren sean masculinos.

Del Sur al Norte

Empieza en cualquier lugar...

Las secuelas

Lo mejor es comenzar diciendo la más dura de las verdades.

Al igual que el resto del Hemisferio Occidental, las tierras que hoy se conocen como Estados Unidos de América, México, Guatemala, El Salvador y Honduras fueron robadas a sus habitantes originarios por colonizadores europeos a través de una bien documentada orgía de sangre, traición y genocidio de proporciones tan vastas que se podría decir que no tiene precedentes en los anales de la historia humana que la antecedieron, ni comparación con los poco tranquilos que vinieron después. En curso durante más de quinientos años, este monstruoso crimen nunca ha sido desagraviado de manera significativa. Sigue perpetrándose hasta el día de hoy.

Todo el mundo lo sabe, pero a nadie le gusta pensar demasiado en lo que significa. Significa esto: a menos que seas lo suficientemente sincero como para admitir que la ley del más fuerte es algo bueno mientras estés del lado ganador, tienes que reconocer que los gobiernos locales, federales y estatales de estos países, incluyendo a todas sus agencias como la Patrulla Fronteriza, Aduanas y Protección Fronteriza e Inmigración y Control de Aduanas son instituciones sin potestad para legitimar la autoridad sobre el territorio que gobiernan actualmente.

Es importante empezar por enmarcar el asunto así. ¿Quiénes son estas personas que reclaman tener jurisdicción sobre tierras nativas? ¿Qué derecho tienen de decirle a quien sea dónde ir y cuándo? Si alguien tiene el derecho de decidir quién puede o no entrar a Norteamérica, es la gente cuyos ancestros habitaron ese territorio desde tiempos inmemoriales, no los descendientes o las instituciones de quienes lo colonizaron. Muchos de los así llamados inmigrantes ilegales podrían reclamar de forma más justificada el continente que están atravesando que la mayoría de los hipócritas que los condenan y persiguen.

Además, gran parte de la riqueza de Estados Unidos, al igual que la de otros países del Hemisferio Occidental, fue acumulada a través del secuestro masivo y el robo de salarios más grande cometido en la historia humana: el comercio Atlántico de esclavos y el sistema de plantaciones del Sur. Una vez más, este monstruoso crimen nunca ha sido desagraviado, y sus impactos continúan sintiéndose hasta el día de hoy.

De nuevo, ¿quién puede decir que estos últimos inmigrantes no merecen también un trozo del pastel? ¿Cuántos de los honorables ciudadanos que claman por un muro tienen dueños de esclavos en sus árboles genealógicos? No todos, pero bastantes. Incluso yo. ¿Están dispuestos a subirse en aviones y deportarse a Europa sin demora? Al menos la gente que actualmente cruza la frontera para mejorar su vida, está dispuesta a hacer el trabajo por su cuenta, en vez de esclavizar a otros para hacerlo por ellos.

“Estados Unidos no **está** en guerra.
Estados Unidos **es** la guerra.”

-Sora Han

Durante más de 500 años, el relato principal del Hemisferio Occidental ha sido la continua historia de esclavitud y colonización: el robo de vidas, trabajo y tierra. Las secuelas de este proceso moldean todo lo que vino después. Es imposible entender Norteamérica sin poner esto en un lugar destacado.

También hay una contra-historia, igual de antigua y fuerte, compuesta de innumerables relatos de valentía y resistencia. También contaré algunos de estos.

Un día mi compañero y yo condujimos hacia el medio de la nada para dejar agua en el desierto. Cuatro días después, era hora de revisar. En nuestro camino al lugar, vimos a un hombre sentado al lado de la pequeña calle de tierra. Tenía un pedazo rasgado de una manta atada en una rodilla. "¿Cómo estás?", pregunté.

"Mal," respondió. "Mira esto." Se remangó el pantalón para mostrar un tobillo negro, hinchado y completamente roto.

"Está mal," dije. "Necesitas ir a un hospital."

"Sí," dijo. "Mira." Se quitó la camisa.

"*¡NO MAMES!*," gritamos al unísono mi compañero y yo, de una forma poco profesional. Tenía una gran herida abierta en el pecho, ensangrentada, con costra y supurando pus. "¡Tienes que ir a un hospital AHORA! ¿Qué pasó?"

"Hace cuatro noches, estaba caminando con otros tres hombres a través de esas montañas de allá. Tuve una caída ciega, diez o doce pies sobre el acantilado. Me rompí el tobillo y me abrí el pecho con una roca. Ellos me cargaron y me bajaron de allá a lo largo de toda la noche. A la mañana los vimos a ustedes conduciendo, pero seguíamos estando muy arriba, no pudimos llegar a la carretera a tiempo. Cuando llegamos ellos se fueron y dijeron que iban a buscar ayuda. Nunca les volví a ver, ni a ellos, ni a nadie más desde entonces."

"¿Llevas aquí cuatro días?" Habíamos estado a más de treinta y ocho grados cada día. "¿Has comido algo o tomado agua?"

"Comida, no. Un par de veces al día me arrastro hasta ese estanque. No quería alejarme mucho de la carretera en caso de que alguien pasara."

Había un estanque seco para el ganado a cien metros de la carretera, de máximo una pulgada de profundidad y en el que abundaban estiércol y lodo. Vimos una docena de marcas de arrastre desde donde él estaba hasta el estanque. Lo llevamos a la ambulancia. Estaba notablemente estoico. Le pregunté si el camino lleno de baches lastimaba su tobillo.

"No."

"¿Tu pecho?"

"No."

"¿No te enfermaste por el agua sucia?" Sabía que hubiera muerto de haber sido así.

"No. Solo llama a mi esposa en Dallas y dile que estoy vivo." Lo hice. La ambulancia lo llevó al hospital y nunca volví a saber de él.

Los viajeros

La inmensa mayoría de la gente que cruza la frontera tiene ciudadanía de México[4] o del "Triángulo del Norte" de Centroamérica: Guatemala, El Salvador y Honduras. Hay algunas excepciones; mientras trabajaba en el desierto conocí unas pocas personas de Belice, Nicaragua y Perú, y algunas más de Ecuador, pero muchas más de México y el Triángulo del Norte.[5]

¿Qué impulsa a las personas de estos países a cruzar la frontera?

Casi todo el mundo, en circunstancias normales, prefiere vivir dondequiera que vivan sus familias inmediatas. Sin embargo, millones de personas son atraídas y empujadas entre México, el Triángulo del Norte y los Estados Unidos por una combinación de poderosas fuerzas. La mayoría de las partes de este ciclo no solo pueden definirse como un factor de "atraer" y "empujar", sino ambos a la vez.

Tomadas individualmente, cada historia es diferente. Tomadas como un conjunto, casi todas las historias que he escuchado comparten uno de tres motivos comunes. Una y otra vez, conocí personas que decían cruzar la fron-

---

4 Principalmente de los estados del sur: Oaxaca, Guerrero, Michoacán, Veracruz y Chiapas.

5 Esta es la razón por la que prefiero decir Triángulo del Norte y no Centroamérica: un número menor de nicaragüenses, costarricenses, beliceños y panameños van a los Estados Unidos a trabajar.

tera porque habían sido deportados y estaban regresando a casa, porque escapaban de la violencia y la pobreza del sur, o porque podrían tener una mejor vida en el norte. A menudo, era una combinación de los tres. Los detalles varían sin cesar, pero el patrón se mantiene.

Señalando lo obvio: los migrantes y refugiados gozan de voluntad y libre albedrío como cualquiera. En términos generales, la gente hace lo que piensa que es mejor entre las opciones de las que dispone.

De modo que el primer factor de atraer gente hacia el norte y empujarla al sur es que el gobierno estadounidense deporta a cientos de miles de personas a México y el Triángulo del Norte cada año. Muchas de las familias de los deportados viven en Estados Unidos, y muchos deportados tienen casas, trabajos y automóviles allí también. Independientemente de la ciudadanía, estas no son personas que vivan en México o el Triángulo del Norte, ellos viven en Estados Unidos. Gran parte de ellos ha vivido allí durante años e incluso décadas. Una de las razones más comunes para cruzar la frontera hacia Estados Unidos, es simplemente volver a casa.

Otro factor que empuja a la gente al norte es la inestabilidad y la violencia extendida en amplios sectores de México y el Triángulo del Norte. Mucha gente cruza la frontera principalmente para alejarse de esa situación. Analizaré cómo se ve esto y por qué es un aspecto central en el siguiente apartado.

El último de los tres primeros factores que atrae y empuja gente al norte, hacia la frontera, es la diferencia de salario y coste de vida entre Estados Unidos, México y el

Triángulo del Norte, algo a lo que el economista griego Arghiri Emmanuel denomina "cambio desigual."

En términos absolutos, el coste de la vida es algo más bajo en México que en Estados Unidos, e incluso más bajo en el Triángulo del Norte. Sin embargo, los salarios para trabajos comparables son desproporcionados, mucho más bajos en México que en Estados Unidos, y todavía más bajos en el Triángulo del Norte. Por ejemplo, en 2016 el salario mínimo federal en Estados Unidos es de $7.25 por hora, con mano de obra no calificada o semi-calificada cobrando alrededor de $10-15 dólares por hora. En Guatemala un salario típico por el mismo trabajo puede ir desde $0.35 a $1.50 por hora, con un montón de gente trabajando de forma precaria en el sector informal sin garantía de ingresos.

Esto es cierto en todo el espectro salarial. Sin importar si hablamos de albañilería o de una cirugía de corazón, el precio de una hora de trabajo será mucho más bajo si es realizado en México (o cualquier otro lugar del sur global) que si el mismo trabajo se realizara en Estados Unidos (o cualquier otra parte del norte global), y todavía más bajo si se realiza en el Triángulo del Norte (o cualquier sitio del "profundo sur").

Además, casi la totalidad de las mercancías importadas son al menos igual de caras en México y Estados Unidos; y por lo general son más caras en el Triángulo del Norte. Esto pasa con casi cualquier cosa exportada de los Estados Unidos u otra parte del norte global e importada a México, el Triángulo del Norte o cualquier sitio del sur global: comida, materiales de construcción, automóviles, electrodomésticos, libros, medicinas, etc. Un auto usado,

por ejemplo, aumenta invariablemente de precio cuando cruza la frontera de los Estados Unidos a México, y vuelve a aumentar cuando sale de México y entra a Guatemala. Muchos mexicanos de ciudades fronterizas comprarían víveres en un *Safeway* del lado estadounidense, si tuvieran los papeles para hacerlo. La comida procesada suele ser más barata allí. Los libros de texto pueden costar el doble en Guatemala de lo que cuestan en Estados Unidos.

Un número considerable de estadounidenses que han viajado a lo largo de la frontera puede tener la impresión de que las cosas son más baratas en México: el cuidado dental es el ejemplo más conocido. No precisamente. *Los servicios* como el cuidado dental son más baratos en México. Esto tiene sentido; el coste de los servicios refleja el valor de los salarios. *Las mercancías* pueden tener un precio similar si son fabricadas en México, y ser más costosas cuando no lo son.[6]

Esto es válido para gran parte de las mercancías manufacturadas en otros lugares del sur global y exportadas a México o al Triángulo del Norte. Un par de pantalones hechos en Bangladesh o un celular hecho en China no será más barato en el Wal-Mart en Tuxla Gutiérrez o Tegucigalpa que en el de Tulsa, y pueden incluso ser más caros.

Así que, mientras el coste *absoluto* de la vida es menor en México que en Estados Unidos, y todavía más bajo en el Triángulo del Norte, el coste de la vida *en relación a*

---

6 Por lo general, las rentas también son más baratas, al igual que pueden serlo productos de comida local.

los salarios es más alto en México, e incluso mayor en el Triángulo del Norte.

Imagínalo de esta manera: un par de anteojos que cuestan $120 representan 8 horas de trabajo de una camarera en Estados Unidos que cobra $15 por hora. El mismo par de anteojos puede costar $135 en Guatemala, y podría representar veintidós *días* de trabajo de alguien haciendo lo mismo, cobrando 75 centavos por hora. Esto es como si el mismo par de anteojos le costara $2640 a la camarera en Estados Unidos.

En resumen, lo que significa es que la vida es generalmente más fácil en Estados Unidos, dura en México, y todavía más dura en el Triángulo del Norte. Esta es la condición que impone la frontera: precios más bajos y salarios más altos al norte; precios más altos y salarios más bajos al sur. Millones de personas pueden ver esto de forma clara y actuar acorde a ello.

Ahora entremos en el porqué es así.

Un día conocimos a tres centroamericanos. El salvadoreño viajaba con su sobrina. Le había prometido a su hermano que podría encargarse de ella. Él cargaba el equipaje de la niña cuando la Patrulla Fronteriza dividió su grupo. Él fue separado de ella en medio del caos y la Patrulla Fronteriza se la llevó. Él escapó con dos hondureños. El más jóven le dijo que había hecho todo lo que podía.

Se quedaron sin agua y sin comida, y el mayor de los hondureños tenía una rodilla torcida. Habían estado completamente perdidos durante cuatro días y cuatro noches.

El salvadoreño tenía un celular que no tenía servicio en Estados Unidos. Estaba lleno de fotografías de lugares donde habían estado y cosas que habían visto. "¡Mira esta montaña!", dijo. "¡Nosotros la cruzamos! Fue hermoso. Pensamos que seguro íbamos a morir."

Mientras se recuperaban, él me preguntó cuánto costaba llenar el tanque de nuestro camión. Le dije que por lo general, cerca de setenta y cinco.

"¿Setenta y cinco? ¿dólares?"

"Sí", contesté, asumiendo que él pensaba que era muy costoso. "¿Cuánto costaría en El Salvador?"

"Ciento cincuenta, tal vez doscientos"

"¿Doscientos? ¿dólares? ¡Dios! ¿Cuánto ganas por una hora allá?"

"Cuando me fui ganaba ocho dólares por día trabajando en la construcción"

Tomé un lápiz e hicimos algunos cálculos. Tras largas deliberaciones, determinamos que:

1) Llenar un tanque con $150-200 representa alrededor de veinte días de trabajo pagado a 8$ por día.

2) Por lo general gano $15 por hora, lo que son $120 por día.

3) Esto significaba que llenar un tanque de gasolina con $175 para el salvadoreño era tan complicado de pagar como lo sería pagar $2500 para llenar un tanque de gasolina para mí.

"Eso es un problema," dije.

"Un problema muy grave", señaló. "Amarraron nuestra moneda al dolar y ahora todo es increíblemente caro. Hoy es imposible vivir allí."

Un rato después él encontró en nuestra cocina una fotografía laminada de una chica. "¿Quién es?" preguntó.

"Ehh, ella fue abandonada por su guía. Uno de nuestros voluntarios encontró su cuerpo en el desierto el pasado invierno. Solo tenía catorce años."

"¿De dónde era?"

"El Salvador." Parecía como si fuera a llorar. "¿Cuántos años tiene tu sobrina?"

"Catorce." El hondureño más joven puso su brazo alrededor de los hombros del salvadoreño. "A ella le costaba mantener el ritmo. Pensé que tendría que cargarla. Estaba oscuro. Había luces y gritos. Todo el mundo corría por todas partes. Ella se cayó y la atraparon. Vi que la llevaban. Corrí. No sé si ella está a salvo. No sé si hice lo correcto."

"Lo siento," le dije.

Comimos juntos y se fueron cuando la luna estaba asomando. El hondureño más viejo envolvió su rodilla y tomó un montón de calmantes. "Pase lo que pase, no vamos a dejarlo", dijo el salvadoreño. No van a atraparnos. Vamos a lograrlo." Él nos llamó una semana más tarde desde la casa de su primo en Utah. Todos habían superado el desierto.

El Sur

¿Qué está pasando al sur de la frontera que impulsa a la gente a ir al norte cruzando la frontera hacia Estados Unidos?

No hay una sola respuesta. Cada caso es diferente. México, Guatemala, El Salvador y Honduras no comparten un contexto homogéneo, tampoco ninguno de ellos lo es internamente. Lo que tienen en común es que mucha gente con ciudadanía de estos países cruza la frontera a los Estados Unidos para vivir y trabajar, y que estos trabajadores proporcionan a los empresarios estadounidenses gran parte de su mano de obra con el salario más bajo. Al sur de la frontera, una cantidad importante de estos mismos trabajadores también proporciona a la economía estadounidense productos agrícolas y mano de obra barata. Aparte de esto, los cuatro países difieren cultural, económica e históricamente, y en casi todos los demás aspectos.

Echemos un vistazo a cada uno de ellos por separado.

México

Si hablas con cierta gente de los Estados Unidos, te puede dar la impresión de que cualquier persona que vaya a México puede sufrir un robo, ser decapitada y asesinada inmediatamente. Vistas así las cosas, creerías que no quedaría nadie con vida. Pero de hecho, puedes ir de un lado a otro del país del país y, mayoritariamente, te verías rodeado de gente que de forma tranquila va lidiando con los quehaceres de la vida. La noche de Navidad de 2014 me encontraba en San Cristóbal de las Casas y el aire retumbaba con las explosiones... pirotécnicas. Cientos de personas felices pasaban juntas el tiempo en el Zócalo, jugando con globos con formas de animales y bebiendo atol con sus hijos. México tiene graves y explosivos problemas, pero que distan mucho de los de Siria, por ejemplo. Sospecho que incluso en Siria, de vez en cuando, la gente sigue estando tranquila y feliz.

Para entender el ciclo de acontecimientos que empujan y atraen a la gente de un lado a otro de Norteamérica, debemos analizar esos aspectos de México que son brutales y desagradables. Pero esa no es la única historia que debe ser contada, puede que ni siquiera sea la más interesante. Sería igual de edificante escribir acerca de la increíble diversidad del punk-rock mexicano, o explorar el significado de la frase "*no mames, güey*", o perdernos en alabanzas a los siete tipos de moles de Oaxaca. Es cierto que México puede ser peligroso, incluso mortal. Pero también puede ser armónico y seguro. Lo mismo que se puede decir de Guatemala, El Salvador, Honduras y Estados Unidos.

Tal como comentaba anteriormente, una escasa mayoría de los ciudadanos mexicanos que conocí en el desierto cruzaban la frontera, sobre todo, para volver a sus hogares en Estados Unidos. Y una considerable minoría la cruzaba para escapar de la violencia y la inestabilidad que a menudo es llamada "guerra contra el narcotráfico en México". A casi todos, al menos en parte, les impulsaba saber que podrían tener una vida mejor en Estados Unidos. ¿Por qué esta particular constelación de factores?

México y Estados Unidos tienen una *historia,* por supuesto, y no creemos que exista la necesidad de profundizar en ella aquí. Basta decir que México ha sido el escenario de más de 500 años de lucha: primero contra la esclavitud y la colonización, después para independizarse de España, luego para resistir ser absorbido por Estados Unidos, para expulsar a los franceses, contra la dictadura de Porfirio Diaz y, más recientemente, para terminar con el gobierno unipartidista de 71 años del PRI (Partido Revolucionario Institucional).

México consiguió su independencia en 1821. En 1854 había perdido más de un tercio de su territorio a manos de Estados Unidos, ya fuera por venta o por invasión, incluyendo buena parte de lo que actualmente es el suroeste estadounidense. De aquí una frase que he escuchado en Arizona más veces de las que puedo contar: "Nosotros no cruzamos la frontera, la frontera nos cruzó".

Durante un largo periodo, los migrantes de México proporcionaban a los propietarios de tierras estadounidenses la mayor parte de mano de obra barata en el sector agrícola. Muchos trabajadores agrícolas iban a Estados Unidos para trabajar de temporada en malas condiciones con salarios bajos, y volver a casa. No teniendo los derechos que gozaban los ciudadanos, les era muy difícil organizarse para conseguir salarios más dignos o defender sus intereses como trabajadores. Ese sería el contexto en el que, en la década de los '60 surgiría y se organizaría United Farmworkers (Trabajadores Agrícolas Unidos). Los esfuerzos más recientes por parte de trabajadores agrícolas migrantes de actuar colectivamente incluyen la campaña del Farm Labor Organizing Committee (Comité de Organización del Trabajo Agrícola) contra la empresa de encurtidos Mt. Olive entre 1998 y 2004, o la campaña de "Un Centavo Más" por parte de la Coalition of Immokalee Workers (Coalición de Trabajadores de Immokalee) contra la empresa de comida rápida Taco Bell.

La firma del TLCAN (Tratado de Libre Comercio de América del Norte) en 1994 cambió las cosas. Además del desastroso impacto en las comunidades industriales estadounidenses, el TLCAN infligió un daño realmente catastrófico a las comunidades agrícolas mexicanas. En su preparación para el acuerdo, el gobierno mexicano hizo cambios en su constitución para permitir la privatización de las tierras comunales campesinas e indígenas, tumbando uno de los mayores logros de la Revolución Mexicana. El TLCAN permitió que gigantescas empresas agrícolas estadounidenses enormemente subvencionadas, como Cargill y Archer Daniels Midland, inundaran el mercado mexicano con productos baratos, especialmente maíz, provocando que la agricultura se convirtiera en algo insostenible para millones de campesinos mexicanos, incapaces de competir a esa escala.[7]

Este fue el trasfondo de la rebelión zapatista en el estado sureño de Chiapas. Sus participantes identificaron correctamente que el llamado comercio "libre" significaba una amenaza para la existencia de campesinos mexicanos y comunidades indígenas, prediciendo que ese acuerdo supondría el golpe de gracia definitivo para su estilo de vida si no luchaban contra él. Los Zapatistas se alzaron en armas el 1 de enero de 1994, el mismo día

---

7 Esto puede parecer contradictorio con mi afirmación previa de que los bienes importados son a menudo más caros en México que en Estados Unidos, pero no lo es. El maíz es un "artículo" que crece en ambos países. Para dominar el mercado mexicano, las empresas agrícolas estadounidenses deben competir con productores mexicanos. En este caso, la cuestión no es que el maíz estadounidense se venda más caro en México que en Estados Unidos, sino que el maíz estadounidense se venda más barato en México que el maíz mexicano. Este proceso, donde los pequeños productores son llevados a la quiebra y expulsados del negocio y de sus tierras, ha ocurrido también en Estados Unidos y en el resto del mundo.

en que el TLCAN entraba en vigor. Exactamente como los Zapatistas lo predijeron, el TLCAN llevó a millones de mexicanos del mundo rural, muchos de los cuales ya vivían en una pobreza extrema, fuera de sus tierras y directamente hacia el abismo. Esto inició una masiva oleada de migración en la que millones de personas abandonaron sus hogares para buscar trabajo en las ciudades mexicanas, sobre todo en maquilas en el lado mexicano de la frontera, y también del otro lado de ella, cuya propiedad era normalmente de empresas estadounidenses.

Una gran cantidad de mexicanos llegaron a Estados Unidos en esa época y empezaron a construir sus vidas ahí. A partir de 1994, las deportaciones internas y la militarización de la frontera en el lado estadounidense aumentaron de forma drástica, intensificándose de nuevo tras los ataques del 11 de septiembre de 2001 y creciendo vertiginosamente desde entonces. La militarización de la frontera ha hecho que cruzarla sea tan difícil, caro, traumático y peligroso, que el antiguo patrón de viaje para trabajar en temporada entre los dos países, es algo casi exclusivamente del pasado. Si alguien decide cruzar la frontera en la actualidad, casi siempre es para quedarse muchos años. Es por ello que las personas indocumentadas constituyen un segmento permanente de la población estadounidense, una casta sin derechos de varios millones de personas.

La migración de México hacia Estados Unidos tuvo su pico a mediados de la década del 2000, disminuyendo constantemente a partir de entonces, debido en gran medida al fortalecimiento de la economía mexicana, en comparación con la estadounidense, desde la crisis inmobiliaria de 2008. Desde 2012, el Pew Research Centre y otros analistas hablan de un "crecimiento cero" de la migración procedente de México. Puede que sea algo estadísticamente cierto, pero esconde lo esencial. Trabajando en el desierto conocí a un enorme número de ciudadanos mexicanos. La causa es que el gobierno estadounidense deporta cada año a un número desconocido de personas que viven en Estados Unidos, la mayor parte de las cuales intentará cruzar la frontera de nuevo para poder volver a sus hogares con sus familias. Es difícil cuantificarlas; el gobierno no es transparente en ese tipo de estadísticas. No es por ser quisiquilloso, pero esta puerta giratoria no es en lo que uno piensa cuando escucha el término "crecimiento cero".

Esa es la razón por la que una escasa mayoría de los ciudadanos mexicanos que encontré en el desierto cruzaban la frontera para volver a casa.

Lo que se viene llamando "guerra contra el narcotráfico en México" se representa en los medios de comunicación estadounidenses como una guerra en curso, de baja intensidad y asimétrica entre el gobierno mexicano por un lado, y varios cárteles de la droga por el otro; las principales metas del gobierno serían disminuir la violencia inherente a la droga y desmantelar los cárteles. Todo ello es falso (excepto los adjetivos), y no creo haber escuchado nunca a ninguna mexicana, del espectro político que fuere, describirme el conflicto en esos términos. De hecho, el conflicto consiste en alianzas siempre cambiantes de actores estatales y para-estatales compitiendo por el control del muy lucrativo negocio del transporte de drogas y trabajadores indocumentados hacia Estados

Unidos. Llamarlo una guerra contra las drogas es como denominar la invasión de Irak una guerra contra el petróleo.

La guerra es muy compleja y las alianzas entre cárteles y facciones del Estado cambian tan rápidamente, que describirlas nos recuerda al principio de incertidumbre de Heisenberg: podemos determinar las posiciones de los participantes, o sus características, pero nunca ambas a la vez.

La versión más simple de la historia es que existen dos centros de gravedad desiguales: el más grande, cártel de Sinaloa, y el más enérgico de los Zetas, con facciones del Estado mexicano y otros cárteles menores alineándose con un bando u otro dependiendo de lo que dicten las circunstancias. La guerra empezó "en serio" en 2006, cuando la administración del entonces presidente Felipe Calderón empezó a involucrar directamente a las fuerzas estatales de una forma en la que no lo habían estado hasta entonces. A partir de ese momento la espiral no ha hecho más que crecer y la violencia en algunas zonas del país ha sido atroz, reconociendo más de 120.000 muertes hasta 2016. Los lugares más afectados incluyen Ciudad Juárez en Chihuahua, el estado central de Jalisco, los estados nororientales de Tamaulipas, Coahuila y Nuevo León, y los estados sureños de Michoacán, Guerrero, Veracruz, Oaxaca y Chiapas.

Es útil bosquejar un esbozo de los principales actores de este drama.

El cártel de Sinaloa, con base en el noroeste y con raíces agrarias, es una organización extraordinaria. Probablemente sea la red de narcotráfico más exitosa que haya existido nunca, y ha demostrado una visión a largo plazo y un flexible planteamiento estratégico que supera de lejos a la de muchos gobiernos nacionales. Se superpone de tal manera con el gobierno de México que sería igual de correcto decir que el Estado es parte del cártel de Sinaloa o que el cártel de Sinaloa forma parte del gobierno. Ambas aseveraciones son ciertas.

Algunos analistas estadounidenses muestran la preocupación de que México sea o pueda convertirse en un "Estado fallido". No deberían inquietarse. El Estado mexicano no ha fracasado: es la empresa criminal más exitosa que haya existido nunca.

El *jefe de jefes* de Sinaloa, Joaquín "Chapo" Guzmán es, con sus 165 centímetros de altura, una figura de proporciones épicas, tales que en el cosmos mexicano compararlo con Robin Hood o Sauron sería exagerar muchísimo la importancia de estos dos personajes. Este hombre (supuestamente) se ha fugado dos veces de la cárcel: una vez escondido en una cesta de la ropa sucia y otra en motocicleta a través de un túnel.[8] En el momento que escribo este libro (supuestamente) se encuentra encarcelado. Ningún mexicano con el que haya hablado estaba completamente convencido de ello.

Sinaloa se presenta a sí mismo como el menor de los dos males, y proclama luchar una guerra más limpia. Acusa a los Zetas de sacrificar a civiles y de cometer atrocidades. "Somos narcotraficantes, no asesinos", dicen.

---

8 Ver *Los Señores del Narco*, de Anabel Hernández para comprobar extensamente cómo el gobierno mexicano estuvo profundamente involucrado en la planificación y ejecución de su primera fuga.

"No involucramos a gente honesta". Algo que afirman de forma interesada y con mala fe, pero que no deja de tener algo de cierto.

Su estrategia básica, elegante en su simplicidad, es *plata o plomo*, soborno o bala. Su reputación, es que hace ofertas para hacer las cosas de forma sencilla, eso es, mantener sus promesas y pagar sus deudas, al tiempo que demuestra que es capaz de tomar el camino duro si es necesario. Sinaloa es la casa y la casa siempre gana. Uno no puede evitar lamentar el hecho de que las personas al mando de esa organización (muchos de los cuales son hijos de campesinos e indudablemente, genios con gran capacidad de organización) no aplicaran su talento a la transformación social radical u otro tipo de actividad provechosa. Normalmente escucho nombrar al cártel de Sinaloa en singular.

En contraposición, el cártel de los Zetas tiene su base en el noreste, y hunde sus raíces en lo militar. Miembros del *Grupo Aeromóvil de Fuerzas Especiales* (GAFE) crearon la organización a mediados de los 90. Sus fundadores se encontraban entre los aproximadamente 500 soldados del GAFE que fueron entrenados en Ft. Bragg (Carolina del Norte) por miembros de las Fuerzas Especiales de Estados Unidos, Israel y Guatemala en materia de contrainsurgencia y operaciones especiales para combatir a los rebeldes zapatistas en Chiapas. Entre 30 y 200 soldados del GAFE utilizaron ese entrenamiento para integrarse como fuerza de choque en el cártel del Golfo, una organización de narcotraficantes bien establecida, que en esa época, era el principal rival del cártel de Sinaloa. En poco tiempo, los Zetas acabaron siendo más poderosos que el propio cártel del Golfo. En 2010, le dieron la espalda a sus empleadores y empezaron a golpear por cuenta propia

Y es cierto que los Zetas son una "fuerza especial". El núcleo de su cuadro de dirigentes se compone de una galería de los horrores de mercenarios y desertores de todos los estamentos militares y policiales mexicanos y de un buen número de los de Estados Unidos y Guatemala. Armados hasta los dientes, con dinero en abundancia, con un entrenamiento excelente y sin escrúpulos, los Zetas han introducido en el ecosistema del crimen mexicano un nivel de brutalidad que supera todo lo conocido. Mientras que Sinaloa siempre ha proclamado intentar evitar víctimas civiles, los Zetas hacen un esfuerzo especial para ocasionarlos a cada paso.

El ex-capitán de los Zetas, Heriberto "Lazca" Lazcano, un reconocido sádico que toda persona a la que he escuchado hablar de él lo considera "el diablo en persona", fue (supuestamente) asesinado en Coahuila en octubre de 2012. Varios hombres armados irrumpieron en la funeraria en la que (supuestamente) se velaba su cuerpo y se lo llevaron rápidamente... un cuerpo que nunca más fue visto.

Los Zetas fomentan una imagen de extrema dureza, y no pretenden actuar de acuerdo a ningún código ético. Prometen luchar de la forma más sucia posible, y lo hacen. Acusan a Sinaloa de vulgares hipócritas, de que su comportamiento es igual de sucio que el que achacan a los Zetas y de estar en connivencia con el gobierno. "Somos asesinos, pero no somos mentirosos", dicen. Y algo de verdad hay en ello; de alguna extraña forma, la honestidad de los Zetas es casi refrescante.

Su estrategia básica, atractiva a su manera, es voltear el tablero si ven que no pueden ganar. En un furioso esfuerzo por desalojar a Sinaloa de su lugar en la cumbre, los Zetas han transgredido cualquier barrera de comportamiento aceptable, cometiendo tales crímenes contra la naturaleza, la humanidad y contra Dios, que hacer recuento de ellos es alucinante. Anticipando de diversas formas al Estado Islámico (ISIS), los Zetas llegaron a las mismas conclusiones muchos años antes, y desde el otro lado del mundo: es posible crear un ejército temible (y ganar mucho dinero) poniendo las armas en manos de la gente y dándoles licencia para romper cualquier regla. Es dudoso que un nihilismo tal pueda ser nunca parte de un proyecto de liberación, pero uno no puede dejar de lamentar el hecho de que los Zetas no decidieran desatar el infierno sobre las élites mexicanas y sí sobre la población humilde. Normalmente escucho como se habla de los Zetas en plural.

La guerra puede ser entendida como una desagradable perversión de un conflicto que forma parte inexorable de México: el conflicto entre campesinos (de donde surgió el cártel de Sinaloa), y los militares (que dieron nacimiento a los Zetas). El peculiar giro es que es Sinaloa el que está más íntimamente ligado a las facciones "leales" del Estado, mientras que los Zetas lo están más a las facciones "canallas". Al igual que muchos soldados mexicanos son de una generación desarraigada de su origen campesino, la mayoría del liderazgo de Sinaloa nació en la década de los 50, mientras que casi todos los líderes de los Zetas nacieron en los 70, la generación siguiente. Entre los dos bandos se respira un aire de parricidio.[9]

La tercera variable en esta ecuación es la que corresponde a los muchos movimientos sociales de México. Una gran parte de la violencia en el país se focaliza en la represión a los movimientos sociales, enmascarada como guerra contra el narcotráfico, especialmente en el sur, que ha sido históricamente mucho más pobre que la capital o que el norte, y donde estos movimientos han sido más fuertes. México tiene una rica historia de lucha e ideas radicales. Desde la Guerra de Castas de Yucatán en 1847 a la Revolución y el movimiento zapatista original de la década de 1910, pasando por las protestas y ocupaciones en Ciudad de México en 1968, hasta los levantamientos en San Salvador Atenco y Oaxaca en 2002 y 2006; el asedio en San Juan Copala en 2010 a las fuerzas de autodefensa que vigilan Santa María Ostula y Cherán... Desde que los actuales zapatistas hicieron los primeros disparos como acto de resistencia a la hegemonía capitalista global de la era post-Guerra Fría, hasta las formas en que sus conceptos de autonomía y autodeterminación han influido en luchas contemporáneas desde Oakland hasta Rojava, los mexicanos han contribuido inmensamente al proyecto de liberación.

---

9 En Tamaulipas y en el sur de Texas, la marca preferida del cártel del Golfo podría ser la de los tractores John Deere y la de los Zetas Porsche. Así los Zetas, modernos, lo que dicen es "no somos el cártel de tus padres". Este mismo abismo generacional divide los liderazgos de Al-Qaeda (nacidos en los 50), y del ISIS (de la década de los 70); algunas de las dinámicas son semejantes.

Probablemente no sea coincidencia que el acontecimiento que parece marcar el inicio de la guerra contra el narcotráfico (el despliegue de 6500 soldados en Michoacán en diciembre de 2006) tuviera lugar casi dos semanas después del aplastamiento del levantamiento de Oaxaca a finales de noviembre.

La guerra en México es un choque de fuerzas elementales personificadas en tres grupos de personas con capuchas negras y armas: el Orden (Sinaloa), el Caos (los Zetas) y la Transformación (Zapatistas y otros rebeldes). No queda claro cómo acabará la guerra, o qué ocurrirá cuando eso suceda, pero por el momento no sorprende que haya tantos mexicanos que quieran cruzar la frontera para escapar. Lo que está claro es que el mundo es cada vez más pequeño: esta tríada de fuerzas es similar en Siria, personificándose en Assad, ISIS y los revolucionarios de Rojava.[10] Este tipo de conflictos se están extendiendo, y pronto no quedará lugar donde escapar.

Entonces, ¿qué podemos hacer? Tomando prestados un par de argumentos del difunto Charles Bowden, y desde la ventajosa posición de trabajador solidario de Estados Unidos, voy a contestar lo mejor que pueda.

---

10 Ver *A Small Key Can Open A Large Door: the Rojava Revolution,* (Una pequeña llave puede abrir una gran puerta: la revolución de Rojava) publicado por Strangers in a Tangled Wilderness, para una introducción a la revolución en curso en el Kurdistán de Siria (Rojava). Para otra perspectiva del levantamiento en Siria, ver *Burning Country: Syrians in Revolution and War* (País en llamas: sirios en la Revolución y en la Guerra) por Robin Yassin-Kassab y Leila al-Shami.

El gobierno estadounidense tiene una gran responsabilidad en el incendio que ha consumido a México durante los últimos diez años. Como ya he descrito anteriormente, el TLCAN aniquiló el sector agrario y lanzó a millones de personas que ya eran pobres hacia la ruina más absoluta. Eso a su vez creó millones de migrantes y refugiados internos y externos, muchos de los cuales recurrieron a los cárteles para sobrevivir. La prohibición del consumo y venta de drogas en las calles de Estados Unidos hacen que sus precios sean artificialmente altos, proporcionando unos enormes márgenes de beneficio. La batalla por hacerse con ellos se desplaza al sur, alimentando la multibillonaria industria de la droga y poniéndola en el centro del conflicto. Al deportar a centenares de miles de personas y al militarizar la frontera, el gobierno estadounidense ha creado una industria de la trata de personas, muy ligada a la industria de la droga, que coloca miles de millones de dólares más en juego. Al proporcionar al gobierno mexicano dinero, armas y entrenamiento militar, se alimenta a la violencia desde todas partes. Estos recursos, invariablemente, acaban desviados, puesto que tanto los actores estatales como los para-estatales los utilizan para luchar por el control de estas industrias, sin dejar de lado el propósito de reprimir a los movimientos sociales.

Nada de esto es un accidente o un error. De hecho, la guerra en México (igual que el sufrimiento en el desierto) beneficia a sectores bien identificables de la sociedad a ambos lados de la frontera.

Las políticas oficiales en estas cuestiones representan los intereses de esos sectores, y no soy tan ingenuo como para pensar que de repente esto va a dejar de suceder. Si el gobierno de Estados Unidos realmente deseara acelerar el final de la guerra en México, lo podría hacer acabando con las deportaciones, abriendo la frontera, legalizando el consumo y la venta de drogas y cortando la ayuda militar al gobierno mexicano.

Estas acciones tendrían otras consecuencias, sobre algunas de las cuales especularé más adelante. Sin embargo, tendrían el efecto de quitar la mayor parte del oxígeno del conflicto al eliminar los beneficios y buena parte de los medios para luchar por ellos.[11] Si esto llegara a ocurrir, tengo plena confianza en que los mexicanos serían capaces de resolver los problemas del país, como lo han hecho en el pasado.

Pero claro, eso no va a ocurrir. No existe voluntad política en Washington para tomar alguna de esas decisiones; tampoco sería visto con buenos ojos por la gente,

---

11 De vez en cuando podemos leer algunos comentarios que hablan de cómo los efectos de las laxas leyes estadounidenses sobre armas alimentan la guerra contra el narcotráfico en México, ya que el personal de los cárteles supuestamente compra armas en Estados Unidos y las baja a México. Es sin duda algo que ocurre, pero deja de lado lo esencial. La mayor parte de las armas y municiones utilizadas por todas las partes en guerra son desviadas de (o utilizadas por) los arsenales de las diferentes facciones de las fuerzas del orden mexicanas: policías locales y federales, el ejército, etc. Este material no se compra en las tiendas o en las ferias de armamento de Arizona o Texas y se contrabandea pieza a pieza a través de las aduanas de Nogales y Matamoros. Son compradas y pagadas por los gobiernos, y a menudo los dólares de los impuestos de los estadounidenses se trasvasan directamente al Estado mexicano.

exceptuando quizá a unos cuantos radicales. Los que nos consideramos tales, podemos intentar obligar al gobierno a cambiar sus políticas en torno a las drogas o la inmigración. Probablemente, como mínimo, tendríamos éxito en cambiar los términos del debate. Puede ser más fácil cambiarlo todo, o aguantar mientras todo cambia a nuestro alrededor.

Hasta entonces, la gente seguirá cruzando la frontera: sea cual sea el riesgo, el coste y sin importar los obstáculos que se crucen en su camino. Por cualquier medio.

San Salvador Atenco es venerado en México gracias a dos levantamientos que ocurrieron ahí, en 2002 y en 2006. En 2002, Atenco fue escogido como el emplazamiento del nuevo aeropuerto internacional de Ciudad de México. Mucha de la población que residía ahí iba a ser desplazada. Tras intensos enfrentamientos entre la policía y la comunidad, organizada bajo la sombrilla del Frente de Pueblos en Defensa de la Tierra, el gobierno canceló la construcción del aeropuerto. Nunca se ha intentado construir de nuevo.

En mayo de 2006, al mismo tiempo que empezaba el levantamiento en Oaxaca y las huelgas "Un día sin mexicanos" en Estados Unidos, una segunda revuelta entraba en erupción en Atenco tras la expulsión por parte de la policía de un grupo de vendedores de flores cerca del mercado de Texcoco. Esto no es tan inusual como pudiera parecer: el acoso contra millones de vendedores ambulantes es algo extendido por todo el país, y la fuente de mucho resentimiento.[12] El Estado respondió con una violencia desmesurada para acabar con esta segunda revuelta. Más de 4000 policías (federales, estatales, municipales y privados) aterrorizaron a toda la comunidad, mataron a dos personas, golpearon e hirieron a muchos más, tiraron al suelo muchas puertas y arrestaron a 207 personas, y violaron o abusaron sexualmente de 26 de las mujeres detenidas. Una década después, esos actos siguen infames.

Una mujer de San Salvador Atenco, de unos 60 años, me contó la siguiente historia en 2010, cuando formábamos parte de un intento de romper el cerco paramilitar a la comunidad Triqui de San Juan Copala, en Oaxaca:

"Cuando decidimos parar el proyecto del aeropuerto, estudiamos lo que habían hecho los zapatistas. Vimos cómo estos habían prevalecido porque se habían construido un mito para sí mismos, y pudieron construirse un mito porque se dotaron de una vestimenta mágica: sus pasamontañas y sus rifles. Sabíamos que si queríamos tener éxito necesitábamos un mito y una vestimenta mágica propia. Pero no sabíamos cómo hacerlo. No podía ser igual a la de los zapatistas, eso no tendría sentido. No somos mayas, no somos guerrilleros, no vivimos en la selva. Somos campesinos de una pequeña ciudad a las afueras de Ciudad de México.

---

12 Acontecimientos similares condujeron a que Mohamed Bouazizi se inmolase en Túnez algunos años más tarde, la chispa que prendió la mecha de la Primavera Árabe.

¿Qué vestimenta podíamos adoptar? Discutimos sobre ello durante días, incluso semanas. Y finalmente la encontramos: un sombrero de vaquero, una bandana roja y un machete. Una vez que conseguimos nuestra vestimenta mágica, éramos invencibles, y el aeropuerto estaba condenado".

Actualmente podemos ver a residentes de San Salvador Atenco, con sus sombreros de vaquero, su bandana roja y su machete en las barricadas y luchas por todo México. Cuando aparecen, el sentimiento es que ha llegado la caballería.

TIERRA LIBERTAD
Y JUSTICIA
PRESOS POLITICOS
ATENCO
www.atencolibertadyjusticia.com

-SERVICIO
F.P.D.T.
FELIPE VIVE
ATENCO VIVE
ATENCO REBELDE
NO SE RINDE NI SE VENDE

Guatemala

Como dije, he conocido más mexicanos que cruzan la frontera para volver a su antigua vida en Estados Unidos que para iniciar una nueva allí. En el caso de los guatemaltecos pasa lo contrario, ¿por qué?.

Guatemala ha sido gobernado por un sistema feudal desde su colonización. Actualmente el país es dominado por un grupo de familias de tez clara (conocidas como "las siete familias", la "oligarquía" o el "Estado profundo") que han administrado el poder desde que sus descendientes europeos llegaron a América. Han tiranizado al país subyugando a la mayoría indígena durante más de 500 años. Estas familias controlan el estamento militar y la vasta mayoría de las tierras y la riqueza, dividiéndose grandes monopolios entre ellas. La vieja élite está ligada a las exportaciones de café, azúcar y banano, al ganado, la minería y algo de industria pesada, como la producción de cemento. La nueva élite se dedica al narcotráfico y a la trata de personas. Los partidos políticos de Guatemala están alineados con esos intereses enfrentados[13]

---

13 El *Partido Patriota* estuvo en el poder durante buena parte de esta década antes de caer en desgracia. Estaba alineado con los militares y varias facciones del "Estado profundo", su color era el naranja y su símbolo era un puño cerrado. En 2016, las mismas personas vuelven a estar a cargo, aunque ahora apuestan por el azul y su nuevo nombre es *Frente de Convergencia Nacional.* Cual payaso aterrador, los oligarcas guatemaltecos tienen una máscara diferente para cada ocasión. No es ningún secreto cuál es el poder real tras el trono. Por otro lado, he escuchado a bastante gente denominar al partido *LIDER* (Libertad De-

Hace cien años hubo una revolución en México que terminó con el sistema feudal y puso los cimientos de un Estado moderno, para bien o para mal. Es algo que nunca ha ocurrido en Guatemala. El país obviamente no está gobernado por gente que tenga como objetivo el bienestar de las personas. En contraste con sus pares mexicanos, los oligarcas no cumplen con su parte del contrato social, ni pretenden hacerlo.

Pero al igual que México, Guatemala tampoco es un Estado fallido. El gobierno tiene un trabajo que realizar, y lo ha hecho bien durante siglos. Suministra a Estados Unidos azúcar, bananos y café, y evita que los indígenas embarquen a las siete familias de vuelta rumbo a España. El gobierno ha cumplido su obligación de la única forma posible: con ametralladoras, helicópteros y lanzallamas.

Así que, en vez de una revolución, Guatemala padeció una brutal y casi inimaginable guerra civil de 36 años. La CIA la puso en movimiento en 1954 cuando patrocinaron un golpe de Estado que derrocó al entonces presidente Jacobo Árbenz en recompensa por sus intentos de redistribuir tierras. La inmensamente poderosa empresa estadounidense United Fruit Company[14] se opuso a la reforma agraria y la CIA actuó en su nombre. Denegado cualquier otro camino para el cambio social, una mezcla de indígenas, campesinos, estudiantes, sindicalistas y grupos de izquierda iniciaron la lucha armada contra el Estado a finales de los 60. El conflicto

---

mocrática Renovada) como el *narcopartido*, así a secas. Siempre tiene opciones de ganar, y su color es el rojo.

14 Su nombre actual es Chiquita Brands International

fue alimentado durante décadas por el apoyo financiero y militar que el gobierno estadounidense suministró a los diferentes regímenes militares de Guatemala. Estos perpetraron un catálogo de masacres, desapariciones, torturas y otros tipos de terrorismo de Estado contra la sociedad civil de Guatemala, culminando en la política genocida "de tierra quemada" contra la población maya durante el mandato de Efraín Ríos Montt a principios de los 80. Aproximadamente unos 200.000 civiles perdieron la vida en el transcurso de la guerra; los indígenas sufrieron desproporcionadamente. El conflicto armado terminó en diciembre de 1996 con la firma del acuerdo de paz entre la organización madre que agrupaba a los grupos guerrilleros (UNRG, Unión Revolucionaria Nacional Guatemalteca) y el gobierno del país.

Centenares de millares de guatemaltecos huyeron hacia México y Estados Unidos en los 80. La mayoría tuvo que hacerlo ilegalmente, puesto que la administración Reagan, que estaba armando y financiando a los principales actores de la violencia, rechazaba reconocer a estos exiliados como refugiados.[15] Muchos de estos refugiados y sus familias establecieron sus vidas en Estados Unidos y han vivido allí desde entonces.

20 años más tarde, la paz puede que sea peor que la guerra. He escuchado a guatemaltecos que así lo sostienen. En 2016 Guatemala tiene la tasa más alta de malnutrición crónica del hemisferio occidental, la cuarta

---

15 Miembros del "*Movimiento Santuario*" ayudaron a miles de guatemaltecos en su camino al norte. 20 años más tarde algunas de las mismas personas formarían No Más Muertes.

más alta de todo el *mundo*. Afecta al 47% de los niños, al 55% de personas que viven en el mundo rural, al 69% de los indígenas y al 70% de niños indígenas. En algunas zonas, la cifra llega al 90%.[16] La inseguridad alimentaria es el motivo más fuerte de migración en el país, según un informe reciente publicado por la Organización Internacional para las Migraciones y el Programa Mundial de Alimentos de las Naciones Unidas. Basándome en lo que he vivido en primera persona y lo que me cuentan los guatemaltecos, estoy de acuerdo.

Estamos hablando de un país con grandes nexos económicos, políticos, culturales y militares con Estados Unidos; un territorio bendecido con suelo fértil, agua en abundancia, un clima favorable y abundantes recursos naturales; con unos mercados rebosantes de frutas y vegetales y cuyas exportaciones anuales hacia el norte en alimentos superan los mil millones de dólares. La paz en Guatemala es la paz de los sepulcros, saqueada por ladrones y perseguida por las almas de niños hambrientos.

Cerca del 60% de su población se identifica como indígena. Se hablan 26 lenguas diferentes, hay muchos lugares donde el español no es la lengua predominante y existe una gran diversidad cultural entre los diferentes

16 Son cifras considerablemente superiores a las de Honduras y Nicaragua, aunque estos países son mucho más pobres que Guatemala. Haití es el Estado más pobre del hemisferio occidental, y el salario medio en Guatemala es cuatro veces mayor que en Haití, pero la malnutrición infantil de Guatemala es el doble de la haitiana. La desigualdad en Guatemala es verdaderamente diabólica. La fuente de estas estadísticas es el informe citado más adelante.

grupos indígenas. Estos grupos representan un porcentaje mayor de la población del país, mayor que casi cualquier otro lugar de Norteamérica. En México, por ejemplo, una parte sustancial de la población también es indígena, pero excepto en Chiapas y Oaxaca, no llega al nivel de Guatemala.

El racismo está extremadamente extendido en todos los aspectos de la sociedad guatemalteca. Los términos despectivos utilizados por los *criollos* (aquellos con alto porcentaje de ancestros europeos) y los *ladinos* (los que tienen una mezcla de ancestros europeos e indígenas) para referirse a los *indígenas* (aquellos con ancestros principalmente indígenas, y particularmente a aquellos cuya lengua principal no es el español) contienen tanta carga histórica como los términos que usan los blancos para referirse a la población negra en Estados Unidos. Algo que también es cierto en México, pero que es lacerante en Guatemala. La mayoría de las peores atrocidades en la guerra fueron ordenadas por *criollos* (que dominaban el estamento militar), perpetradas por *ladinos* (que formaban el grueso del ejército) y sufridas por *indígenas* (que conformaban la mayoría de la *guerrilla* y de la población en general).

Los acuerdos de paz de 1996 marcan un complicado hito en la historia de Guatemala. Durante casi 40 años, las guerrillas, formadas en su mayoría por mayas, se defendieron ante un enemigo despiadado y sin principios, apoyado por todo el peso del gobierno de Estados Unidos. Las guerrillas no ganaron exactamente, pero tampoco perdieron del todo, y cuando finalmente depusieron las armas lo hicieron tras asegurarse de obtener importantes concesiones del gobierno guatemalteco. Una de las más importantes fue el Convenio 169 del acuerdo de paz, en el que se pone por escrito en la ley de Guatemala la administración de las tierras comunales. Legalmente hablando, buena parte de las tierras del país no son de propiedad privada, ni de personas ni de empresas, ni de titularidad pública, sino que son propiedad comunitaria de los indígenas que las trabajan.

Además, según el Convenio 169, los temas referentes a la extracción de recursos en tierras comunales tienen que ser aprobados de forma comunitaria. Esto significa que si una empresa minera quiere extraer oro en tierras comunales no puede solo comprar los terrenos, ni el Estado puede alquilarlos. Una asamblea popular de la comunidad involucrada debe apoyar el proyecto, un permiso que a menudo es muy difícil de obtener.

> "Cuando viajo por Estados Unidos veo que la mayoría de gente blanca no se siente oprimida. Se siente débil. Cuando me reúno con mi gente, no nos sentimos débiles. Nos sentimos oprimidos. No queremos cambiar los términos. Vemos el genocidio físico que intentan infligir a nuestras vidas y entendemos el genocidio psicológico que ya han infligido a su propia gente"
>
> *John Trudell, Paha Sapa, 18 de julio de 1980.*

Estos aspectos de las leyes medioambientales e indígenas pueden proporcionar una protección más fuerte frente a las empresas extractivistas que las legislaciones de Estados Unidos o México. ¡Imaginemos qué pasaría si el Servicio Forestal de Estados Unidos tuviera que pasar por asambleas comunitarias cada vez que quisiera alquilar tierras a las empresas madereras! En Guatemala hicieron falta 36 años de lucha armada para obtener esa victoria.

Pero tampoco sorprende que estas partes del acuerdo de paz hayan sido regularmente derogadas por los corruptos gobiernos de la posguerra, que han intentado con todas sus fuerzas subastar el país al mejor postor.

A pesar de ello, los indígenas tienen *poder* en Guatemala, de un calibre muy diferente al que se puede ver en Estados Unidos o en la mayor parte de México. El día de la final del Mundial de fútbol, el congreso guatemalteco intentó deslizar una ley, llamada la Ley Monsanto, que habría otorgado la exclusividad de semillas patentadas a un puñado de multinacionales. Grupos indígenas bloquearon el congreso, impidiendo la entrada de agua o comida, evitando que los congresistas pudieran ir al baño y sin dejarlos salir para dormir hasta que la ley fuera rechazada, lo que ocurrió al final. Es muy difícil imaginar algo semejante en Washington D.C. o en Ciudad de México.

La extracción de recursos es un tema importante en Guatemala. En las tierras altas del oeste del país, sobre todo en las provincias de San Marcos y Huehuetenango, a lo largo de la frontera con el estado mexicano de Chiapas, hay mucha actividad minera (oro, plata y cobre), además de contar con muchos terrenos donde las multinacionales intentan conseguir licencias para nuevos proyectos mineros a través de las asambleas populares[17].

Guatemala tiene una larga tradición de resistencia a la extracción de recursos, sobre todo en esas regiones. Tanto la policía estatal como las privadas, además de las fuerzas militares y paramilitares han encarcelado y asesinado a muchos opositores a la minería y a otros megaproyectos.

No es coincidencia que muchos de los guatemaltecos que conocí cruzando la frontera proviniesen de San Marcos o Huehuetenango. He visto suficientes pruebas en primera persona como para sugerir que las empresas mineras, los cárteles de la droga y el Estado han cooperado para sacar a los habitantes de partes de esas zonas para despejar el camino a los megaproyectos, el narcotráfico y la trata de personas. Volveré a ello más adelante.

La gran mayoría de la cocaína procedente de Suramérica cruza la frontera Guatemala-México en su camino hacia Estados Unidos, junto a todas las personas indocumentadas, migrantes y refugiados de Centroamérica. Como en México, los actores estatales y para-estatales compiten por el control de las industrias del contrabando del narcotráfico y la trata de personas creadas alrededor de la frontera. En Guatemala este juego no se da de forma menos violenta. A eso hay que añadir los niveles realmente aterradores de asesinatos y crímenes violentos

---

17 Muchas de estas empresas son canadienses. Uno de los ejemplos más conocidos es la mina de oro Marlin de San Marcos, cerca de los municipios indígenas de Sipacapa y San Miguel Ixtahuacán, propiedad de una filial guatemalteca de la empresa canadiense Goldcorp. Ver el documental de 2005 *Sipakapa no se vende,* dirigido por Alvaro Revenga.

en algunas partes del país (buena parte de ello es una extensión de los problemas de pandilleros de El Salvador, que se verán después...). Resumiendo: es un desastre. He conocido a varios guatemaltecos que me han contado que la oligarquía ha fomentado una violencia social generalizada para justificar la utilización de una "mano dura" para terminar con el caos: es la mano militar, que había quedado muy desacreditada tras la guerra.

Además, al menos desde mi experiencia personal, Guatemala es profundamente disfuncional, más que México. A los profesores no se les paga, tampoco a las enfermeras; los hospitales no tienen medicamentos ni recursos; el sistema judicial es un verdadero desastre, el gobierno es corrupto a todos los niveles, y todo el mundo lo sabe; en buena parte del país no hay asistencia jurídica; perros callejeros se comen entre sí en los vertederos... en general, el Estado hace menos por la gente que en México. El gobierno no apaga incendios en zonas indígenas.[18]

Ninguno de los temas que llevaron al conflicto armado interno ha sido resuelto. Una generación entera de la lucha armada no es poca cosa, y la fatiga que provocó

---

18 Unos cuantos amigos y yo pasamos casi dos semanas en enero de 2015 ayudando a apagar un incendio que amenazaba el suministro de agua de una aldea. Lo hicimos con palas y machetes, sin ropa protectora, mientras grandes piedras en brasas rodaban por encima nuestro. El gobierno rechazó enviar helicópteros para remojar el terreno. Me comentaron que nunca antes se había incendiado el bosque. Todo el mundo coincidía en que era consecuencia del cambio climático. Las sequías ligadas a este cambio están contribuyendo a la deforestación y desestabilizando los ciclos agrícolas, lo que agrava la inseguridad alimentaria del país.

sigue presente 20 años después. Esta es una de las diferencias notorias entre las sociedades de Guatemala y México. A menudo he escuchado a mexicanos decir, incluso los que no se identifican con ideas radicales, cosas como "la situación de mi país es intolerable, quizá necesitemos otra revolución". A su vez, incluso guatemaltecos que se identifican con ideas radicales, decir "espero que podamos resolver la situación del país sin necesidad de otra guerra". Temo el futuro que les depara a mis amigos allá.

Dicho esto, lo más grande que ha pasado en Guatemala en los últimos años fueron quizá las inmensas protestas que derrocaron al gobierno del ex-presidente más reciente, Otto Pérez Molina, en septiembre de 2015. Pérez Molina era un antiguo general del ejército que coordinó personalmente masacres en la zona indígena del "triángulo de Ixil" en la época de Ríos Montt. Fue elegido presidente en 2011, con una imagen y discurso poco sutil: "mano dura" era el lema y el símbolo de su Partido Patriota. Resulta que él y buena parte de su administración pasaron mucho del tiempo que gobernaron supervisando una trama de corrupción conocida como "La Línea", en la que la agencia aduanera del país ofrecía a los importadores tarifas muy reducidas a cambio de comisiones que beneficiaban a decenas de miembros del gobierno. Cuando la historia salió a la luz, las protestas se extendieron por toda Guatemala, hasta el punto que Pérez Molina, su yerno, la vice-presidenta Roxana Baldetti y docenas de otras personas importantes acabaron no solamente sin trabajo, sino en la cárcel.

Aunque sea bastante perverso el hecho de que a Pérez Molina se le enjuiciara por hurto en vez de por coordinar personalmente masacres, fue un hecho histórico en Guatemala. No hay precedentes de que unas protestas callejeras hicieran caer a un presidente y ex-general, y mucho menos que ocurriera sin un derramamiento masivo de sangre. Aunque fue un hecho esperanzador, la mayoría de guatemaltecos que conozco creen que parte de lo que ocurrió fue que los militares y la oligarquía llegaron a ver a Pérez Molina como una vergüenza, le abandonaron y empezaron a darle forma a su sucesor, Jimmy Morales, actual presidente y, literalmente, un ex-payaso. No está claro qué va a ocurrir ahora.

Dicho en pocas palabras, estas son las razones por las que tanta gente abandona Guatemala: para escapar de condiciones endémicas de pobreza e inestabilidad.

El movimiento guerrillero en Guatemala tuvo una gran influencia (no reconocida) en los asuntos internacionales, al inspirar de forma directa la estética de la rebelión zapatista y al dar forma y prefigurar la revuelta en sí. Chiapas tiene frontera directa con Guatemala, y es también ampliamente maya. Desde los pasamontañas y pseudónimos hasta la profunda comprensión de que la toma del poder estatal no es realmente un proyecto revolucionario, muchos aspectos del movimiento zapatista pueden ser vistos como extensiones y reacciones de lecciones aprendidas de la guerra civil de Guatemala. Los zapatistas merecen todo el crédito por aplicar esas lecciones de forma correcta, pero es importante recordar que la imagen y simbología que convirtieron en algo irresistible, era la que habían utilizado las guerrillas en Guatemala durante casi 40 años.

La *guerrilla* y todo el sufrimiento y sacrificios que sus participantes soportaron han sido en buena parte olvidados fuera de Guatemala, pero a través de los zapatistas, su influencia todavía puede sentirse en todo el mundo.

El Salvador

El Salvador es más pequeño, está más densamente poblado y es menos indígena que Guatemala. En fuerte contraste con Guatemala e incluso con México, su población es casi enteramente ladina. En El Salvador también hubo una brutal guerra civil, de 1979 a 1990, que acabó con la vida de unas 80.000 personas. Y también el gobierno estadounidense apoyó a una serie de regímenes militares que cometieron masacres, desapariciones, violaciones, bombardeos, torturas, represalias colectivas y otras atrocidades sobre la población... a gran escala. El incidente más famoso fue probablemente el asesinato por parte del ejército salvadoreño de 800 civiles en la aldea de El Mozote, el 11 de diciembre de 1981.

En El Salvador, más que en Guatemala, es probable que la coalición de grupos guerrilleros (FMLN, Frente Farabundo Martí para la Liberación Nacional) hubiera tenido éxito en derrocar al gobierno salvadoreño si no hubiera sido por la intervención estadounidense. Hasta una cuarta parte de su población salió del país durante los años 80, especialmente hacia Estados Unidos, con la ayuda, también en este caso, del movimiento Sanctuary. La guerra terminó oficialmente con la firma del acuerdo de paz en 1992. Cerca de dos millones de salvadoreños viven actualmente en Estados Unidos, casi una quinta parte de su población.

En mi observación, El Salvador es notablemente más acomodado que Guatemala y Honduras, aunque menos que México. De 3.000 a 5.000 millones de dólares entran al pequeño país a través de transferencias de los salvadoreños que viven en Estados Unidos (lo que significa alrededor de una quinta parte del PIB de El Salvador). Se pueden ver en las calles contenedores separados para basura, compost y reciclaje en muchos parques municipales, hay menos perros callejeros y, en general, se parece más a una versión algo ruda de Estados Unidos que a un mundo totalmente diferente. Además, en 2009 el FMLN obtuvo el poder en las elecciones por primera vez desde el final de la guerra, y por un tiempo se comportó algo mejor que los gobiernos derechistas en Guatemala y Honduras. Podría ser tentador ver a El Salvador como ejemplo de un éxito regional.

Pero aquí es cuando la cosa se complica. Durante y tras la guerra se formaron en Los Ángeles pandillas callejeras entre la comunidad de refugiados salvadoreños; al principio, en parte, por la legítima necesidad de hacerse un lugar en la no muy amigable atmósfera en época de los disturbios de la ciudad. Las más importantes de estas pandillas serían la Mara Salvatrucha (MS-13) y Barrio 18 (M18). Miles de miembros de ambas bandas fueron eventualmente deportados de vuelta a El Salvador, donde empezaron a luchar entre ellas por el territorio.

No es correcto entender a la MS-13 y M18 como organizaciones monolíticas. Son más bien franquicias y redes dispersas formadas por grupos y facciones. Teniendo esto en cuenta, las pandillas ejercen una tremenda influencia en la vida cotidiana de buena parte de El Salvador. En muchos lugares tienen un poder comparable al del Estado. Los miembros de las pandillas son la única o más importante fuente de ingresos en muchas familias pobres y de clase trabajadora, y en muchos barrios las pandillas son las únicas empleadoras, y policía "de facto". Hay varios aspectos negativos en este sistema, el más serio de ellos es que el conflicto a tres bandas entre la MS-13, el M18 y el gobierno ha hecho de El Salvador uno de los lugares más violentos del mundo (exceptuando los lugares donde hay guerra).

En marzo de 2012 se gestionó una tregua entre las tres partes, negociada por el antiguo rebelde del FMLN y congresista Raúl Mijango, el ministro de Seguridad Pública y Justicia David Munguía Payés y el Monseñor Fabio Colindres, un obispo de la Iglesia Católica. Aunque los términos de la tregua no están del todo claros, parece que el gobierno accedió a varias concesiones: la derogación de la Ley Antimaras, el retorno del ejército a los cuarteles, el fin de las operaciones policiales en los territorios controlados por la mara, la derogación de la ley que otorgaba beneficios a cambio de información sobre personas con lazos criminales y una serie de mejoras en la calidad de vida de los presos. A cambio de todo esto, parece ser que las cúpulas (casi todas encarceladas) del

MS-13 y M18 accedieron a un cese de hostilidades entre ellas y contra el gobierno.

Casi de la noche a la mañana los homicidios bajaron de catorce al día, a cinco. La tregua se mantuvo, al menos en parte, durante casi tres años, y según la mayoría de relatos que he escuchado, por un tiempo se podía vivir en el país. Los resultados de la tregua se hicieron sentir inmediatamente en la frontera, donde vimos a muchos menos salvadoreños cruzando el desierto.

Pero la tregua se había roto totalmente hacia el 2015, por complicadas razones que tienen que ver con la intransigencia y la duplicidad en todos los bandos (incluyendo el de Estados Unidos, que nunca estuvo muy emocionado con el acuerdo; suponemos que opinaba que un El Salvador estable y próspero gobernado por el FMLN y alineado con Venezuela y la "marea rosa" suramericana no era un resultado deseable). La violencia se descontroló en 2015, alcanzando niveles que no se veían desde la peor época de la guerra civil e inimaginables en el resto del mundo, aparte de Siria, Irak o la República Centroafricana.

Bajo una seria presión interna para restaurar algo parecido al orden, el FMLN recurrió a tácticas prestadas de sus enemigos durante la guerra: asaltos nocturnos, detenciones en masa y castigos colectivos. Cuando esto ocurrió, las pandillas no se quedaron de brazos cruzados. Respondieron con una vigorosa y coordinada campaña de asesinatos de policías y soldados, coches bomba frente a comisarías y otros edificios gubernamentales, una táctica casi sin precedentes incluso en las zonas más inestables de México.

La prensa y el gobierno salvadoreño, por su lado, han empezado a utilizar el lenguaje del "terrorismo", de "guerra" contra "los combatientes enemigos" para referirse al conflicto. Es algo irónico considerando que una parte del gobierno está formado por personas que una vez fueron catalogadas de terroristas y criminales (algo que los pandilleros e incluso algunas de las partes más reflexivas del FMLN han señalado repetidamente).

Una búsqueda en internet combinando las palabras mareros o pandilleros con cucarachas arroja interminables y espeluznantes comentarios de salvadoreños (presumiblemente de clase media y alta) que describen a los pandilleros como cucarachas y sugiriendo que la única solución es "matarlos a todos". Varios salvadoreños me han comentado que no es imposible que algunas de las bombas puedan ser acciones bajo falsa bandera diseñadas por ese tipo de elementos para justificar la "limpieza social". Uno se pone a temblar pensando en lo que puede pasar cuando la derecha vuelva al poder.

No fue una sorpresa que en 2015 viéramos un aumento en el número de salvadoreños que cruzan el desierto, casi todos informando de unas situaciones muy similares en su país y expresando un deseo similar de escapar del infierno que consumía El Salvador.

Con el riesgo de ser reiterativo, es importante enfatizar cuánta responsabilidad tiene el gobierno estadounidense en la creación de ese desastre. Primero financió a la derecha salvadoreña en su guerra contra la mejor mitad de su población. Después deportó a miles de supervivientes de esa guerra, sin un centavo en los bolsillos, de vuelta a su destruido país. Más recientemente ha saboteado los esfuerzos del FMLN y las pandillas para llegar a un compromiso factible. Tras todo esto, era muy poco probable que pudiera pasar algo que no fuera otra cosa que el incendio de El Salvador.

"Centrarse en detener la migración sin detener el dolor que la impulsa (especialmente cuando tu país ha contribuido a fomentar buena parte de ese dolor) es como un pirómano que prende fuego a un edificio y bloquea las salidas mientras la gente intenta escapar".

-Tim Wise

La siguiente historia es bien conocida en El Salvador, pero no mucho en el resto del mundo.

El hombre que ordenó la masacre de El Mozote era un personaje especialmente nauseabundo, el teniente-coronel Domingo Monterrosa Barrios, en ese tiempo comandante del Batallón Atlacatl, una unidad de élite de contrainsurgencia del ejército salvadoreño. Este batallón, que llevó a cabo la masacre, fue creado en 1980 en la estadounidense Escuela de las Américas en Panamá y entrenado en Fort Bragg, Carolina del Norte, por las Fuerzas Especiales de Estados Unidos. Monterrosa se graduó de la Escuela de las Américas, como la mayoría de los de su calaña en esa zona.[19]

Según el relato de Mark Danner sobre el incidente en The Massacre at El Mozote (La Masacre de El Mozote), Monterrosa era conocido por ser especialmente obsesivo con destruir Radio Venceremos, la emisora de radio del FMLN que se especializaba en noticias sobre la guerra, comentarios sarcásticos y la ridiculización del gobierno. Radio Venceremos se había burlado de él y le había denunciado personalmente en infinidad de ocasiones; la emisora se había convertido en un potente símbolo, operando durante años dentro del territorio que Monterrosa afirmaba controlar.

La carrera de Monterrosa terminó en 1984 mediante una elaborada artimaña. Una pequeña unidad del FMLN cargaba un transmisor de radio hacia una zona patrullada por soldados, fue "descubierta" por

19 Consultar el Observatorio de la Escuela de las Américas (SOA) en soaw.org para más información sobre esa "Escuela"

estos, hubo un tiroteo, "sufrió bajas",[20] y fue "forzada" a "evacuar" sus posiciones y "abandonar" el transmisor. Radio Venceremos desapareció inmediatamente de las ondas y, al día siguiente, Monterrosa convocó a la prensa nacional e internacional en la ciudad de San Miguel para anunciar triunfante que la emisora ya no existía. Monterrosa se había dirigido antes a la ciudad nororiental de Joateca, llevó en sus manos el trofeo en su helicóptero personal y despegó rumbo a la conferencia de prensa, acompañado de otros cinco comandantes de Batallón Atlacatl, incluyendo a su sucesor. Parece que el consejero militar estadounidense presente en la zona rechazó viajar con ellos.

El transmisor contenía ocho cargas de dinamita y un detonador activado con aire comprimido. El helicóptero, y toda la gente que había en él, estalló en el aire cuando pasaba encima de posiciones guerrilleras cerca de El Mozote, lugar en el que presumiblemente las partículas de Monterrosa se fusionaron con las de las 800 personas a las que había ordenado asesinar.

Los restos del helicóptero siguen expuestos en el Museo de la Revolución, en la ciudad de Perquín, no muy lejos de donde tuvo lugar la masacre. Puedo constatar como ex-combatientes demacrados de la zona siguen contando la historia con gran deleite.

---

20 De hecho había sangre de gallo en el lugar. Por lo que sé, esta valiente criatura fue el único daño colateral de la operación.

Honduras

He pasado mucho menos tiempo en Honduras que en México, Guatemala o El Salvador.

A riesgo de deslizarme hacia la informalidad extrema, diré lo siguiente: en El Salvador o Nicaragua, con algo para tirar a la basura en la mano, se podría decir: "¿Dónde tiro esta botella vacía de agua? Ah, ¡quizá en la papelera!". En Honduras, es más como "Bien, creo que la tiraré al suelo, que es lo que absolutamente todo el mundo hace puesto que no hay otra opción. ¡Fíjate en este soldado con un enorme rifle de asalto! ¡Y otro! ¡Y esos de más allá!".

Claro que preferiría ver que la basura es recogida por redes descentralizadas de amigos en vez de que lo haga el Estado, pero parece ser el peor de los escenarios posibles ver cómo el Estado claramente existe, tiene la capacidad de depositar enormes cantidades de M-16 fabricadas en Estados Unidos en las manos de Dios sabe quién, pero demuestra no tener interés alguno en proporcionar la más básica de las ayudas sanitarias, condiciones higiénicas, educación, seguridad social o servicios de recolección de basuras para la población.

Esto es, en resumidas cuentas, la Honduras actual. Combinando la pobreza de Nicaragua, la disfuncionalidad de Guatemala y la violencia de El Salvador pero sin el legado reciente de los esfuerzos al menos parcialmente exitosos de resolver los problemas nacionales a través de la lucha armada que caracterizan a esos tres países. Honduras es actualmente un ejemplo de todo lo malo que existe en esta parte del mundo.

En 2009 hubo un golpe de Estado del estilo de los de los años 50 (apoyado por Estados Unidos), y las cosas parecen haber tomado un cariz incesantemente desastroso. Trabajando en la frontera, conocimos a un gran número de hondureños, un número exagerado para el tamaño del país. Por ejemplo, en 2012 menos de la mitad de la gente que conocí provenía de México, El Salvador y Guatemala, y el resto eran hondureños (y hay que tener en cuenta que México tiene una población 16 veces mayor que la de Honduras). Escuchamos diferentes versiones de la misma historia a través de diferentes personas: pobreza extrema, hambre y malnutrición crónica, violencia e inseguridad omnipresentes (buena parte es una extensión de los problemas con las pandillas salvadoreñas), una incontrolable epidemia de VIH/SIDA, un espantoso nivel de violencia contra mujeres y población LGTBI, asesinatos de ecologistas, sindicalistas y defensores de derechos humanos,[21] y la ausencia absoluta de servicios básicos y oportunidades de cualquier tipo.

Déjenme subrayarlo de nuevo. Si Honduras está sumida en el caos más absoluto no es porque los hondureños sean menos capaces o decentes que otras personas, o porque sus gobernantes sean más miserables o crueles que los nuestros. Es porque la estructura de la economía norteamericana ha hecho que cualquier otra situación sea imposible.

21 Por ejemplo, el reciente asesinato de Berta Cáceres.

Una de mis posesiones más preciadas es un suéter de un equipo hondureño de básket que me dio orgullosamente un adolescente que conocí en el desierto, y que consiguió llegar a su hogar en Los Ángeles, donde le esperaba su cariñosa y comprensiva familia. Espero poder vivir el día en que mis amigos hondureños tengan la opción de una vida decente allá donde nacieron, sea porque haya una revolución en Honduras, en Estados Unidos o en ambos lugares.

Tensiones

Un montón de gente de Estados Unidos no es consciente de cuanta tensión existe entre las sociedades de México y de Centroamérica, o del nivel en que mexicanos y centroamericanos no se sienten parte del mismo pueblo.

Quizás sea más fácil de explicar usando el fútbol. Durante el mundial de fútbol, prácticamente cualquier aficionado centroamericano alentará a cualquier equipo centroamericano. Así en 2014, los guatemaltecos apoyaron con todo su ser a Honduras contra Francia, y millones de nicaragüenses celebraron la serie de victorias de Costa Rica a pesar de la importante tensión entre estas dos sociedades. Sin embargo, prácticamente cualquier aficionado centroamericano estará *en contra* del equipo mexicano y apoyará a *cualquier otro* que lo enfrente. Así que los guatemaltecos celebraron por todos lados cuando Holanda venció a México en el mundial. Esta tendencia parece superar incluso los recuerdos de la guerra; en mi observación, los aficionados salvadoreños y guatemaltecos animarán sin reservas a Estados Unidos si se enfrenta contra México. Vi menos fútbol en México, pero me pareció notar algo similar, la mayoría de mexicanos apoyará a cualquier equipo que juegue contra Estados Unidos, incluso España.

Los centroamericanos, especialmente migrantes y refugiados, son tratados en general de forma horrenda en México, sujetos a un maltrato sistemático por cualquier cuerpo gubernamental y desafortunadamente también por algunas personas.[22] Por ello, una gran cantidad de centroamericanos, incluso aquellos adscritos a una perspectiva radical, sospecharán de los mexicanos en general. Dicho esto, hay innumerables organizaciones y personas en México trabajando de forma solidaria en valiosos y concretos esfuerzos con los centroamericanos. Según pude ver, las dinámicas son reconocidas y comprendidas por un alto porcentaje de los mexicanos.

Como suele suceder, estas barreras pueden romperse en una crisis. Cuando trabajaba en el desierto, vi grupos mezclados de mexicanos y centroamericanos salvándose la vida entre sí, apoyándose mutuamente en medio de dificultades inimaginables y, en general, disfrutando de la compañía de los demás. Sin embargo, también vi muchos ejemplos donde pasaba lo contrario, y las tensiones eran reales.

---

22 Esto es de conocimiento general, incluso hay una canción de Los Tigres del Norte llamada *Tres Veces Mojado*, al respecto. Ellos pueden ser entendidos como el equivalente mexicano a Bruce Springsteen y The Beatles juntos

También hay una sutil red de estereotipos internos muy desagradables, para ambos, México y Centroamérica. En México podrías escuchar que los *norteños* son ricos, estirados, vaqueros gansteriles de temperamento volátil; que los *chilangos* en la capital usan mucho lenguaje obsceno (esto podría ser cierto); y que los *sureños* son bajitos, morenos y pobres. En Guatemala, los *altiplenses* conocen a los *costeños* por ser estafadores, mientras se respeta a los salvadoreños, pues siempre se considera que podrían ser asesinos. Los salvadoreños miran con desprecio a los hondureños, a pesar de que desafortunadamente no están solos en esto. Las demostraciones máximas de nacionalismo mexicano, que se parecen en muchas formas a las que puedes ver en Estados Unidos, resultan engañosas y extrañas para los centroamericanos, de cuyos países la mitad se ha alzado en armas contra sus propios gobiernos en tiempos recientes.

Todo lo dicho sin entrar ni lo más mínimo en las dinámicas subculturales; los estadounidenses que piensan que todos los mexicanos son mojigatos obreros de construcción, podrían sorprenderse al darse cuenta que la Ciudad de México es el lugar más *friki* en la tierra. La gente al sur de la frontera no es toda igual.

El viaje

Con base en mis propias experiencias y discusiones con innumerables viajeros, permítanme aventurar una visión general del viaje desde el sur hasta el norte.

El viaje a la frontera varía dependiendo de cuánto dinero tenga una persona, y de si es mexicana o centroamericana. Empecemos con los centroamericanos.

Los ciudadanos de Guatemala, El Salvador, Honduras y Nicaragua pueden circular libremente dentro de estos países (los "4 CA"), de modo que los salvadoreños y los hondureños pueden viajar por Guatemala hasta la frontera mexicana sin ningún problema más allá de pagar por su transporte. La frontera mexicana, sin embargo, es por completo otra cuestión. Los ciudadanos de los 4 CA no solo no pueden caminar por la frontera mexicana y cruzarla sin problema, tampoco pueden circular dentro de México sin el riesgo de una deportación si no tienen la visa pertinente. Hay medios legales para que los centroamericanos entren y crucen México camino a Estados Unidos, todo tiene un precio (básicamente una serie de sobornos), que algunos pueden pagar y otros no. Iniciaré describiendo lo que hace la gente cuando no puede ingresar en México legalmente.

La espesamente boscosa frontera sur de México está bien vigilada, pero es relativamente penetrable y las autoridades a cargo son muy corruptas. La peor y más merecidamente notoria forma de llegar a Estados Unidos es en *La Bestia*, trenes de carga mexicanos. He escuchado una asombrosa cantidad de historias de horror sobre este viaje; sería válido decir que para mucha gente, cruzar México es incluso más angustiante que pasar la frontera a Estados Unidos.

Hay dos líneas de trenes principales que van desde el sur de México hasta *La Lechería*, el primer punto en Ciudad de México para todo el tráfico que viene del sur y va al norte. Una de estas líneas empieza en la ciudad de Tenosique en Tabasco, la otra en Arriaga en Chiapas. Así que los centroamericanos que no pueden pagar cualquier otra opción tienen que cruzar la frontera mexicana a pie y llegar a alguna de estas ciudades -que no es poca distancia-. Con cada paso corren el riesgo de robos, violaciones, secuestros, ataques, extorsiones, deportaciones, arrestos y asesinatos a manos de la policía, militares, un buen número de pandillas y cárteles, y Dios sabe quién más. También se arriesgan al agotamiento y la exposición a la intemperie. Los lugares comunes de partida en Guatemala incluyen partes de las provincias de San Marcos y Huehuetenango (camino a Arriaga), y sectores del *Parque Nacional Sierra del Lacandón* y *el Parque Nacional Laguna del Tigre* en el norte de Petén (camino a Tenosique). Hay refugios y proyectos solidarios en ambas ciudades, siendo el más prominente "*La 72*" en Tenosique.[23] Desde ambos lugares, finalmente es posible conseguir un tren hacia el norte.

Cruzar México en La Bestia puede ser la forma más mortal de viajar en todo el Hemisferio Occidental. Todos los riesgos mencionados anteriormente se agudizan en los trenes, junto al peligro de muerte y desmembramiento

23 Ver la72.org para informarse sobre cómo ayudar.

por caer de los vagones de carga, que a menudo están increíblemente llenos.

Hay otros refugios y proyectos solidarios a lo largo de ambas líneas del ferrocarril, así como en Ciudad de México y alrededor de La Lechería misma. Estos proyectos van desde campañas establecidas hasta esfuerzos cotidianos individuales y familiares de gente que vive a lo largo de las vías y arroja comida y agua a los trenes a medida que avanzan.

De nuevo, principalmente hay dos formas para ir al norte desde La Lechería, ambas llenas de tensión con todos los peligros descritos antes -incluyendo un riesgo creciente de arresto y deportación a medida que se avanza hacia el norte-. La primera ruta, hacia el valle bajo del Río Grande en Texas, sigue hasta San Luis Potosí y luego a Nuevo Laredo o Reynosa en Tamaulipas. La segunda, hacia la parte sur del desierto de Arizona, es a través de Guadalajara y luego por la costa Pacífica hasta Altar o Caborca en Sonora.

Estos probablemente son los destinos más importantes para migrantes y refugiados a lo largo de toda la frontera: Reynosa y Altar. Las dos rutas tienen ventajas y desventajas; el problema es que en última instancia ambas opciones son terribles.

Las ventajas de la ruta sur oriental a Reynosa son que es un viaje mucho más corto en tren y que el terreno es un poco menos letal del lado estadounidense. También está más cerca de las partes oriental y centro-occidental de Estados Unidos. La desventaja es que la mayor parte de este territorio es controlado por el cártel de los Zetas. En esta ruta ocurrió la tristemente célebre primera masacre de San Fernando en agosto de 2010, en la que los Zetas asesinaron a 72 centroamericanos migrantes y refugiados en la municipalidad de San Fernando, al sur de Matamoros, en Tamaulipas,[24] y la *segunda* masacre de San Fernando en abril de 2011, en la que los Zetas secuestraron una gran cantidad de buses de pasajeros en la Autopista Federal Mexicana 101 en el mismo pueblito, secuestrando, torturando y asesinando a 193 personas. En el sur de Arizona, por un par de años vimos a un creciente número de centroamericanos cruzando el desierto después de las masacres de San Fernando, a medida que miles de personas, comprensiblemente, decidían que la ruta nororiental no valía el riesgo.

La ventaja de la ruta noroccidental a Altar es que el territorio es completamente controlado por el cártel de Sinaloa, que tiene reputación de ser más *de negocios* que cualquier otra cosa. También está más cerca de las partes occidentales de Estados Unidos. Las desventajas son que es un viaje mucho más largo en tren, lo que significa cruzar la frontera hacia el Desierto de Sonora en la parte sur de Arizona, que ha estado tragándose vivas a miles de personas.

También hay una gran cantidad de centroamericanos que no tienen que tomar el tren. Los centroamericanos que pueden pagar a los cárteles por guías a través de la frontera mexicana y pasar de México frontera estadounidense (por lo general a Reynosa o Altar, a pesar de que hay otros destinos, en los que destacan Sonoyta y Mexicali),

---

24 *La 72*, el refugio para migrantes en Tenosique, fue nombrado en su honor.

68

y un guía por la frontera estadounidense del otro lado. La desventaja de esto es que puede costar más de diez mil dólares sin garantía de éxito. No todo el mundo tiene ese dinero, y representa un gasto importante para casi todos los que lo hacen. También significa poner tu vida completamente en manos de los cárteles, lo que implica verdaderos peligros, como secuestro, extorsión, violación, etcétera. Sin embargo, tales arreglos son muy comunes.

También está la posibilidad de arriesgarse en los buses en México. Conocí personas que hicieron esto con éxito, o que pudieron librarse de problemas con sobornos al ser descubiertos. El problema es que las autoridades mexicanas de inmigración inspeccionan los buses hacia el norte en todo México, especialmente cerca de las fronteras guatemalteca y estadounidense. Incluso yo podría delatar mexicanos y centroamericanos escuchando un fragmento de sus conversaciones, y las autoridades mexicanas son famosas por ser expertas en esto. Aun sin pedir documentos, pueden hacer caer a un montón de gente solo con un par de preguntas y exigencias, tales como, "¿Cuánto pesa?" (ya que los guatemaltecos usan la unidad de medida de libras y los mexicanos la de kilos), o "Recíteme el *Grito de Dolores*" (prácticamente cualquier mexicano puede hacerlo, del mismo modo que prácticamente cualquier persona que haya crecido en Estados Unidos podría recitar el juramento a la bandera si se le obligara, mientras que la mayoría de las personas que hubieran crecido en otro lugar no podrían), o con cualquier otro truco. La gente que se ve más indígena invariablemente llama más su atención. De ser descubierto en un bus, el riesgo de abuso a manos de las autoridades es muy alto.

A veces los centroamericanos pueden conseguir los documentos necesarios para cruzar México legalmente. Esto implica volverse medio loco a través de un montón de instancias burocráticas, que están diseñadas para quitarles la mayor cantidad de dinero a los viajeros, y para proceder en una forma que desfavorece sistemáticamente a los indígenas. Dicho esto, hay ocasiones en las que las autoridades mexicanas parecen bajar los brazos y decir "Al diablo, aquí están sus papeles, pase por México tan rápido como le sea posible, ahora es problema de Estados Unidos." Esto pasó de forma especialmente recurrente en el periodo de finales de 2013 a comienzos de 2014, en la época en que la prensa estadounidense empezaba a reportar la "crisis de menores centroamericanos que viajaban sin compañía", descrita más adelante.

No es imposible que los centroamericanos obtengan los documentos para entrar a Estados Unidos legalmente, pero el proceso es tremendamente pesado. Para contextualizar, cualquier persona de Estados Unidos puede entrar a Guatemala sin que le cobren y sin una visa. Los ciudadanos estadounidenses pueden estar en los 4 CA 90 días, y después deben salir por dos días cruzando la frontera hacia Chiapas, Belice o Costa Rica antes de regresar para otros 90 días. Esto puede repetirse por siempre. Hay expatriados alrededor del lago Atilán que han hecho esto por décadas. Mientras es teóricamente posible que alguien de Estados Unidos sea devuelto por la inmigración guatemalteca, solo he escuchado que pase a gente involucrada en política guatemalteca, o gente que no obedeció la ley "90/2" (regla de los 90 días). De no ser así, incluso los asesinos de hacha son bienvenidos.

Para que los guatemaltecos se *postulen* para una visa de turismo en Estados Unidos, la cuota es de 160$, pagados al gobierno estadounidense. La cuota no es reembolsada si se niega la visa, pero los guatemaltecos pueden volver a intentar (y pagar). Postularse para la visa estadounidense significa tener un pasaporte, que cuesta 160$, pagados al gobierno guatemalteco. Sin falta, esto debe ir acompañado de un soborno, pagado a alguien en la oficina de pasaportes. El soborno será mayor si la persona es indígena- probablemente 160$ más. La solicitud de la visa tiene que ser tramitada en internet y en inglés. También en un límite de tiempo. Tal vez no haya dicho que la mayoría de los guatemaltecos no disponen de 500$ para gastar, ni de un servicio de internet de alta velocidad, ni la capacidad para llenar un formulario en inglés. Hay una industria informal de personas que llena estos formularios por una tarifa considerable.

Además, cada día hábil en la embajada de la ciudad de Guatemala, hasta mil personas esperan en fila para una audiencia con un funcionario consular. La audiencia dura de tres a cinco minutos. Lo más importante es demostrar una "unión de lazos económicos" en Guatemala -principalmente dueños de propiedades. Si la visa es concedida, *no* le da permiso a la persona de entrar a Estados Unidos. Le da el permiso de presentarse legalmente en un puerto de entrada estadounidense. La decisión final es tomada por el agente de Aduanas y Protección Fronteriza que esté trabajando en la aduana. Este agente puede negar a cualquiera la entrada sin causa, y no hay ninguna compensación legal si deciden hacerlo. El proceso es igual de duro para otros centroamericanos, un poco menos para los mexicanos. Cualquier persona puede ver que el objetivo de ese sistema es filtrar a los pobres.

Para terminar, los mexicanos pueden viajar libremente por México sin ningún problema más allá de pagar por su transporte. Dicho esto, gran cantidad de los mexicanos más pobres también usan trenes, en los que están sujetos a todos los peligros y dificultades que experimentan los centroamericanos, aparte de las deportaciones.

La mayoría de los mexicanos que viajan a Estados Unidos toma un bus a Altar, Reynosa, o uno de los otros bien conocidos puntos de salida a lo largo de la frontera.

Hacia finales de 2013, empezamos a recibir llamadas de *estaciones de bus* en Arizona, pidiéndonos ayuda para asistir a mujeres centroamericanas y menores que habían sido dejados por la *Patrulla Fronteriza.* Estas mujeres y niños básicamente tenían la misma historia para contar: fueron agarrados en el desierto, detenidos, procesados, recibieron notificaciones para comparecer en un juzgado de inmigración algunos meses después, los llevaron a la estación de buses y les dijeron que estaban por su cuenta. Esta fue la "crisis de menores que viajaban sin compañía."

Este no es el comportamiento normal de la Patrulla Fronteriza ni por asomo. Por años, hemos condenado enérgicamente a la Patrulla Fronteriza por su práctica de dejar a los centroamericanos directamente en medio de la frontera del lado mexicano. Esta suerte de deportación por "terceros" es ilegal, y en el caso de menores, constituye imprudencia infantil en la ley estadounidense. Más importante, expone a las personas a un peligro extremo.

Como humanitario y opositor de todas las fronteras, diría que este repentino cambio en la política de la Patrulla Fronteriza fue un paso en la dirección correcta, y que incluso sin duda salvó algunas vidas. No hace falta decir que se corrió la voz sobre esto y un gran número de menores centroamericanos comenzó a dirigirse al norte, con o sin sus madres.

Mientras tanto, en México a comienzos de 2014, vi de primera mano que las autoridades mexicanas en la frontera guatemalteca estaban emitiendo masivamente formularios de transmigración de siete días para centroamericanos, incluyendo buses de hombres solteros. Este comportamiento tampoco es normal por parte de esas autoridades. Cuando empezamos a conocer a muchas de estas personas en el sur de Arizona, resultó que gran parte de ellas eran indígenas hablantes de la lengua Mam, de las provincias de San Marcos y Huehuetenango en Guatemala, que son áreas reconocidas de extracción de recursos. Luego empezamos a escuchar versiones diferentes de una historia similar: los cárteles estaban tratando de vaciar partes de San Marcos y Huehuetenango a lo largo de la frontera de Chiapas, para usar el territorio para tráfico de drogas, personas y minería. Empíricamente no puedo probarlo (y no estoy seguro de que pie calza), pero basándome en una gran cantidad de evidencias anecdóticas, estoy seguro de que algo muy escandaloso estaba sucediendo.

Si esto es cierto, tiene que involucrar una coordinación de políticas en algún nivel de los gobiernos de Estados Unidos, México y Guatemala, con los cárteles más grandes y algunas compañías mineras (probablemente canadienses).

Este periodo terminó a finales de 2014, después de que la "crisis" brevemente se convirtiera en noticia importante y la Patrulla Fronteriza dejara de liberar a menores centroamericanos y mujeres con niños menores. La administración Obama más tarde deportó a muchas de las mujeres y los niños que entraron al país durante este tiempo, y sin duda la administración Trump intentará deportar la mayoría del resto.

¿Fue esta crisis (ampliamente publicitada) el resultado de un sincero esfuerzo por manejar la frontera con un poco más de compasión? ¿Fue una estrategia de desplazamiento a sangre fría que benefició directamente a élites corporativas, gubernamentales y criminales de los cuatro países? ¿Las dos cosas? No tengo forma de estar seguro. Supongo que un poco de la primera y mucho de la segunda. Ojalá verdaderos periodistas de investigación hubieran tratado de definir lo que estaba pasando; de hecho, nadie de ningún sector de la prensa juntó las piezas.

Sin embargo, este episodio muestra uno de mis temas centrales. La regulación del movimiento humano según el lugar de nacimiento no puede ser justa. Incluso intentos bien intencionados por promulgar políticas humanitarias fronterizas tendrán consecuencias imprevistas y probablemente indeseables.

“Al mismo tiempo que un contenedor de K-Line lleno de camisas baratas de Honduras entra en la terminal ferroviaria de Hobart, ICE derriba una puerta en la Puerta del Sur y deporta a una familia entera de regreso a Tegucigalpa. Al sur, los trenes intermodales que se dirigen hacia *El Norte* se llaman alternativamente *La Bestia* o *El Tren de la Muerte* -pensamos que estos nombres son apropiados-.

El capital de las mercancías cruza el sur de California ileso, pero los familiares afortunados y seres queridos que sobreviven a los desgarradores viajes a bordo de los techos de estos trenes, en ocasiones por miles de kilómetros, deben desembarcar -y se les prohíbe la entrada al mismo país que con tanto agrado recibe los productos que algunos de los mismos migrantes produjeron con su propio sudor y sangre en Centroamérica”

“How to Stop A Wound From Bleeding”
(“Cómo hacer que una herida pare de sangrar”)
L.A. Onda

El Producto

No es posible entender lo que sigue en el proceso de cruzar la frontera sin una larga explicación sobre el tema de... la marihuana.

Capital

Uno de los argumentos más fuertes a favor de la legalización de las drogas en Estados Unidos es que podría dar un respiro en la guerra contra el narcotráfico en México (hay otros buenos argumentos, pero no me centraré en eso aquí). Esto es cierto. Sin embargo, para entender las probables consecuencias de la legalización, es necesario entender el mercado norteamericano de la droga. Es particularmente importante entender el mercado de la marihuana, ya que es más improbable que otras drogas sean legalizadas pronto.

La mayoría de la marihuana de mejor calidad consumida en Estados Unidos es cultivada en el país, especialmente en el norte de California. La industria está muy descentralizada; hay miles de cultivos independientes en California y muchos otros estados. La mayor parte de la marihuana de baja calidad consumida en Estados Unidos es cultivada en México, en partes de Baja California y la Sierra Madre Occidental, controlada por el

TWENTY DOLLARS
20

Cártel de Sinaloa. La industria está muy centralizada; solo un juego en la ciudad.

Las dos industrias tradicionalmente han ocupado diferentes nichos de mercado. Cultivar marihuana a pequeña y mediana escala es legal, semi-legal o tolerada en algunos lugares de Estados Unidos. Sin embargo, no hay un lugar donde sea posible cultivar marihuana en la escala que se cultiva en México. Incluso después de poner un precio para mover el producto a través de la frontera, Sinaloa todavía puede vender a precios inferiores que quienes cultivan en Estados Unidos cuando se hace en grandes cantidades. Exportar el producto significa compactarlo, aunque esto degrada la calidad. Así que tradicionalmente, Sinaloa se ha ocupado de cantidades mayores de un producto de menor calidad y los cultivadores estadounidenses de cantidades más pequeñas de una calidad más alta.

Esto ha empezado a cambiar. A medida que los esfuerzos de la legalización en Estados Unidos han progresado, los precios de la marihuana han bajado en todos los ámbitos. Sinaloa sigue dependiendo de su cuota de mercado, pero si resultara posible cultivar marihuana a una escala industrial en Estados Unidos, o incluso a una escala un poco mayor de lo que es ahora, los cultivadores estadounidenses podrían sacar a Sinaloa del Mercado. El resultado final obvio de esto es que si una compañía de agro-negocios estadounidense fuertemente subvencionada, probablemente una tabacalera, pudiera *exportar* marihuana a México, dominaría ese mercado también, ya que los cultivadores mexicanos no podrían competir a tal escala... Espera, ¿dónde hemos escuchado esto antes?[25]

Es tentador decir "¡Bien!" Y dejarlo así. Sinaloa no es una organización benigna.

Sin embargo, sacarla del mercado estadounidense de la marihuana tendría desagradables consecuencias. Yo respeto algunos aspectos del movimiento por la legalización de la marihuana, pero los activistas de un solo tema se están engañando a sí mismos si piensan que la legalización traerá solo resultados positivos.

Aquí está el porqué.

Como lo planteé antes, los dos grupos principales en la guerra contra el narcotráfico en México están organizados bajo modelos de negocios diferentes, y usan diferentes estrategias de mercadeo. El grupo de Sinaloa controla la mayor parte de la migración y las rutas de tráfico de marihuana a lo largo de la frontera. Controla el territorio donde se cultivan marihuana y amapola, de modo que puede producir su propia marihuana y su propia heroína, junto a cualquier tipo de droga que pueda fabricarse en un laboratorio. Distribuye todas las drogas existentes, tanto para consumo interno como para exportar a Estados Unidos. Comparado con el campo de los

---

25 Algo parecido pasa en algunos lugares de Estados Unidos donde el tráfico de drogas de hecho es el único medio de subsistencia. No es bueno encarcelar a los chicos del centro de la ciudad por vender marihuana, ¿pero qué pasa si quitamos el narcotráfico y no hay nada para reemplazarlo? Los consumidores comprarán sus productos al dispensario corporativo en vez de a los chicos de la esquina. ¿Qué harán exactamente los narcotraficantes a nivel de calle?"

Zetas, recibe más de estas actividades que de la extorsión, el secuestro y el asesinato a sueldo.

Los Zetas no controlan la migración ni las rutas de tráfico de marihuana a lo largo de la frontera. No controlan territorio donde se cultive marihuana o amapola, así que no pueden producir su propia marihuana ni su propia heroína. Producen todo tipo de drogas que puedan ser fabricadas en un laboratorio. Distribuyen todas las clases de droga, tanto para consumo interno como para exportar a Estados Unidos (excepto marihuana). Los Zetas no son actores muy relevantes en el mercado estadounidense de la marihuana. No tendría sentido; solo podrían comprarle a sus competidores sin poder vender tan barato.[26] Deben importar heroína, generalmente de Afganistán. Comparados con Sinaloa, reciben más de la extorsión, el secuestro y el asesinato a sueldo.

De todas estas actividades, la única que necesita algún tipo de contrato social es el cultivo de marihuana y amapola: para cultivar, Sinaloa debe tratar con los campesinos que trabajan la tierra. Sinaloa exige obediencia, y a cambio se compromete a proteger y cuidar de estas personas. De esta manera, no es diferente que cualquier otro gobierno (pues en efecto, *es* el gobierno). En el territorio que gobierna Sinaloa, en gran medida se mantiene su parte del trato. A Sinaloa le conviene la estabilidad social; a los Zetas la inestabilidad social.

---

26 Los Zetas cultivan y venden *algo* de marihuana. El punto es que no lo hacen a una escala ni siquiera un poco cercana de la que lo hace Sinaloa.

Por estas razones, la legalización de la marihuana afecta más a Sinaloa que a los Zetas. Sin embargo, la baja de los precios no afecta el balance final de Sinaloa. La organización es robusta. Tiene un portafolio diverso y diferentes planes de contingencia. Por el momento, también tiene que mantener su parte del contrato social. Así que la baja en los precios de la marihuana ha llevado a Sinaloa a centrarse en la producción de amapolas en la Sierra Madre Occidental. Esto primero causó una baja en los precios de la heroína en Estados Unidos, luego un aumento de la demanda, y después un dramático incremento en las sobredosis de heroína en todo el país. Este es el origen de la "epidemia" de la heroína que la prensa estadounidense empezaría a publicar en 2014.[27] Incluso si la industria de la marihuana colapsa por completo, probablemente no le costaría un centavo a Sinaloa. Sinaloa incrementaría su producción de heroína hasta que no haya más lugar para cultivar amapola, o hasta que el mercado estadounidense esté tan saturado que no pueda acoger más producción. Dada la naturaleza de la heroína, esto puede ser difícil.[28]

---

27 La epidemia de la heroína es en sí misma parte de la todavía más grande epidemia de opiáceos, que comenzó a explotar alrededor de 2005, y la que se derivó de la sobre-prescripción de analgésicos legales.

28 El daño que la industria de la droga inflige a sus consumidores no es el centro de este libro, pero soy muy consciente de lo que implica. Tengo amigos que han muerto por consumir heroína, principalmente sinaloense. Para una perspectiva práctica, radical y compasiva sobre la adicción, ver *In the Realm of Hungry Ghosts* (En el reino de los fantasmas hambrientos) del Dr. Gabor Maté.

Si la marihuana colapsara al mismo tiempo que la heroína se satura, entonces parte de la base agraria de Sinaloa sería prescindible y podría ser abandonada. Sinaloa podría enfocarse en la cocaína y las drogas de laboratorio, pero lo más probable es que eventualmente hubiera alguna falla en la distribución o en la logística. Solo hasta que pase todo esto, la legalización de la marihuana podría empezar a costarle dinero a Sinaloa. Si Sinaloa empieza a perder dinero, eso indistintamente favorece a los Zetas. Esto no es lo que muchos de los activistas por la legalización de la marihuana quieren.

Por ahora, la marihuana es un asunto particular; un verdadero final de la prohibición de las drogas no está cerca. No obstante, las actitudes sociales están cambiando y vale la pena especular sobre los efectos que tendría el fin de la prohibición en México.

Ponerle fin a la prohibición podría significar problemas para los cárteles. Los precios bajarían, lo que causaría un aumento en la demanda y requeriría de más abastecimiento. En algún momento, el mercado estaría abarrotado al punto que la ganancia podría disminuir, y la única solución sería confiar en una economía de escala para reducir costos. Esto ya pasó con la marihuana.

Frente a la disminución de los beneficios, los cárteles no desaparecerían sin luchar. Buscarían otras fuentes de ingresos, tales como la extorsión, el secuestro y el asesinato a sueldo. A falta de todo esto, si los cárteles tuvieran que prescindir de más, primero los integrantes de más bajo rango se quedarían sin trabajo. Lo que podría mover la pirámide social y finalmente afectar al pez más grande.

Los cárteles son *empresas*. Te guste o no, proporcionan una fuente de ingresos a mucha gente. Solo "sacarlos del negocio" dejaría a un gran número de personas sin un medio de subsistencia claro. Para ser exactos, significaría eso *a menos que estuviera acompañado de una transformación social más amplia que les permitiera optar por otro modo de vida.*

¿Qué estoy defendiendo? No niego los esfuerzos de los activistas contra la criminalización por el uso y la venta de la marihuana. Es un paso en la dirección correcta y ha ayudado a cambiar el terreno del debate. Pero no nos hagamos ilusiones: la legalización de la marihuana, sin el final de la prohibición de las drogas, traerá una nueva serie de problemas. Y a menos que haya cambios sociales estructurales, el fin de la prohibición traerá otros problemas.

Trabajo

La mayoría de las drogas duras entran de contrabando a Estados Unidos en vehículos, por cada puerto oficial de entrada a lo largo de toda la frontera. La mitad de las veces, esto se consigue con la ayuda de los corruptos agentes de Aduanas y Protección Fronteriza que trabajan en las aduanas. Todo lo que necesitan saber es qué vehículo buscar para dejarlo pasar en vez de detenerlo y el trabajo está hecho. Gran parte de la guerra contra el narcotráfico en México se reduce a un conflicto por el control de estos puertos de entrada.

La marihuana es diferente. Al ser barata, voluminosa y fragante,[29] principalmente es llevada a pie por el desierto. Esto se logra mediante grupos de *burros*[30] que cargan los fardos de cincuenta libras de marihuana altamente compactada sobre sus espaldas. Esta no es una tarea sencilla. El desierto consume a estas personas tan fácilmente como a los migrantes y a los refugiados, y para las mafias que los emplean son de hecho tan prescindibles como los burros.

Hay dos tipos básicos de traficantes de marihuana. El primero, en principio del norte de Sonora, está compuesto por quienes lo hacen para vivir. Ellos pueden empezar a trabajar cuando son apenas adolescentes, y algunos de ellos conocen el desierto mejor que cualquier agente de la Patrulla Fronteriza, incluso mejor que yo. Se les paga tanto como a los profesores de las escuelas públicas en Estados Unidos, lo que es mucho mejor que lo que reciben trabajadores de cualquier línea de empleo disponible para muchos jóvenes del norte de Sonora. Es un trabajo.[31]

---

29 ¡Muy parecido al autor de este texto!

30 Este concepto se usa bastante. Alguien que esté un poco más arriba en la jerarquía de estos grupos bien podría ser llamado "*burrero*". Ni en inglés ni en español hay un concepto para referirse a esas personas, que sea simultáneamente neutral, regular y no despectivo. Careciendo de una alternativa, a regañadientes usaré "burro", ya que es como todo el mundo lo dice en español, y "traficante de marihuana", ya que suena normal en inglés y se acerca más a algo neutral que cualquier otra cosa en la que pudiera pensar.

31 "He hecho este pinche trabajo desde que tengo doce", me dijo un joven. Dijo tener diecinueve. "Me toma diez días ir al norte y cuatro días ir al sur. Descanso un par de días en casa de mi mamá y vuelvo a hacerlo. Hago dos viajes al mes, me pagan

El segundo, principalmente de Centroamérica, se compone de quienes lo hacen una vez. Son migrantes o refugiados. En vez de pagarle a la mafia miles de dólares para entrar a Estados Unidos, pagan por su paso cargando un fardo. Este fardo puede costar $100,000. El burro asume el riesgo y no se le paga nada, pero para los centroamericanos con poco dinero o sin él, es el mejor trato que pueden lograr. A veces este riesgo no se asume libremente. No es inusual escuchar que los viajeros (por lo general centroamericanos) sean secuestrados en la frontera y obligados a hacerlo.

Quienes transportan marihuana para vivir, a menudo pueden encontrarse en grupos junto a quienes lo hacen por primera vez. Es común que un grupo conste de seis a ocho hondureños que cargan el peso, y uno o dos sonorenses que indican el camino.

Cuando se les habla como seres humanos normales, estas personas tienden a ser tan rápidas como cualquier otra en contar su versión de la historia. Suele sonar muy parecido a esto:

La Patrulla Fronteriza intercepta a un grupo. Una de tres cosas ocurre. A veces confiscan la marihuana, luego

---

1000 dólares por viaje. Me han golpeado, me han robado, me han apuñalado, me han disparado, y he estado a punto de morir en el desierto más veces de las que puedo recordar. Todos mis viejos amigos están muertos o en la cárcel en Estados Unidos. Estoy harto de esta porquería. Es mi última carrera, lo juro por Dios. Voy a abrir una llanteria en Los Ángeles y a enviar dinero a mi mamá." Hollywood no tiene nada sobre estos chicos. Parecen hombres cuando tienen dieciséis; para cuando tienen treinta se parecen a Aragorn.

detienen y procesan al grupo por tráfico de drogas. Pues hay agentes de la Patrulla Fronteriza que no juegan el mismo juego. Además, no se ve bien que nunca haya marihuana para mostrar en el juzgado. Otras veces, confiscan la marihuana, luego detienen y deportan al grupo *como migrantes*. En este caso, la marihuana nunca llega al juzgado. ¿El burro va a decir algo en el juzgado? No. Y otras veces, confiscan la marihuana y dejan al grupo en el desierto para que camine de vuelta a México.[32]

He escuchado esto una y otra vez. Múltiples personas desconocidas entre sí no están inventando la misma historia. ¿Qué podría estar pasando? ¿A quiénes podrían estar descargándole toda la marihuana estos agentes? ¿Quién puede lidiar con 500 libras al momento? Solo hay una respuesta: Sinaloa.

Los burros y sus cargas se intercambian por favores, pasan alrededor en el complejo de tira y afloja entre la policía y el crimen organizado. La mafia entiende que los agentes tienen que mantener las apariencias, y que un porcentaje del producto se perderá. Los agentes entienden que la mafia tiene que mover suficiente producto para que las ruedas sigan girando, y que no le conviene a nadie que el sector cierre. Todo el mundo gana, excepto el chico de Honduras que tiene que entrar en prisión cuando llegue su turno de ser un chivo expiatorio.

Una vez un joven sonorense me preguntó cuánto les pagan a los agentes de la Patrulla Fronteriza. Le dije que

---

32 "Ugh, qué chafa," dijo el chico demacrado con un diente de oro. "La Migra nos quitó toda la mota, y nos dijeron que vámonos a la chingada."

un salario normal rondaba por los 70,000$. Pensó que era muy gracioso. “Pueden ganar más del doble con una de nuestras cargas. Solo tienen que hacerlo una o dos veces al año y ya. Nosotros hacemos todo el trabajo duro por ellos.”

Los organismos gubernamentales a veces afirman que los trabajadores solidarios como nosotros ayudamos e incitamos el narcotráfico. Este es el colmo de la ironía y de la hipocresía. Elementos de la Patrulla Fronteriza y de Aduanas y Protección Fronteriza se dedican al tráfico de drogas a escala industrial. Esta no es una acusación; es una declaración de hecho. Cualquiera, menos los agentes más inexpertos de la Patrulla Fronteriza o Control de Aduanas, sabe que es cierto. Si alguien dentro de estas agencias está verdaderamente interesado en llevar a cabo una guerra contra las drogas, debería comenzar limpiando su propia casa.

Y para que conste: no, nunca he visto un fardo. Toda la descripción del trabajo de un burro es para asegurarme de que no suceda. No creo que nadie merezca morir en el desierto por cargar marihuana, y no tengo ninguna obligación legal para preguntarle a una persona hambrienta y deshidratada qué hace para vivir antes de darle agua o comida. Además, si a los estadounidenses no les gustan los traficantes de marihuana, no deberían fumarla tanto. Yo no la fumo.

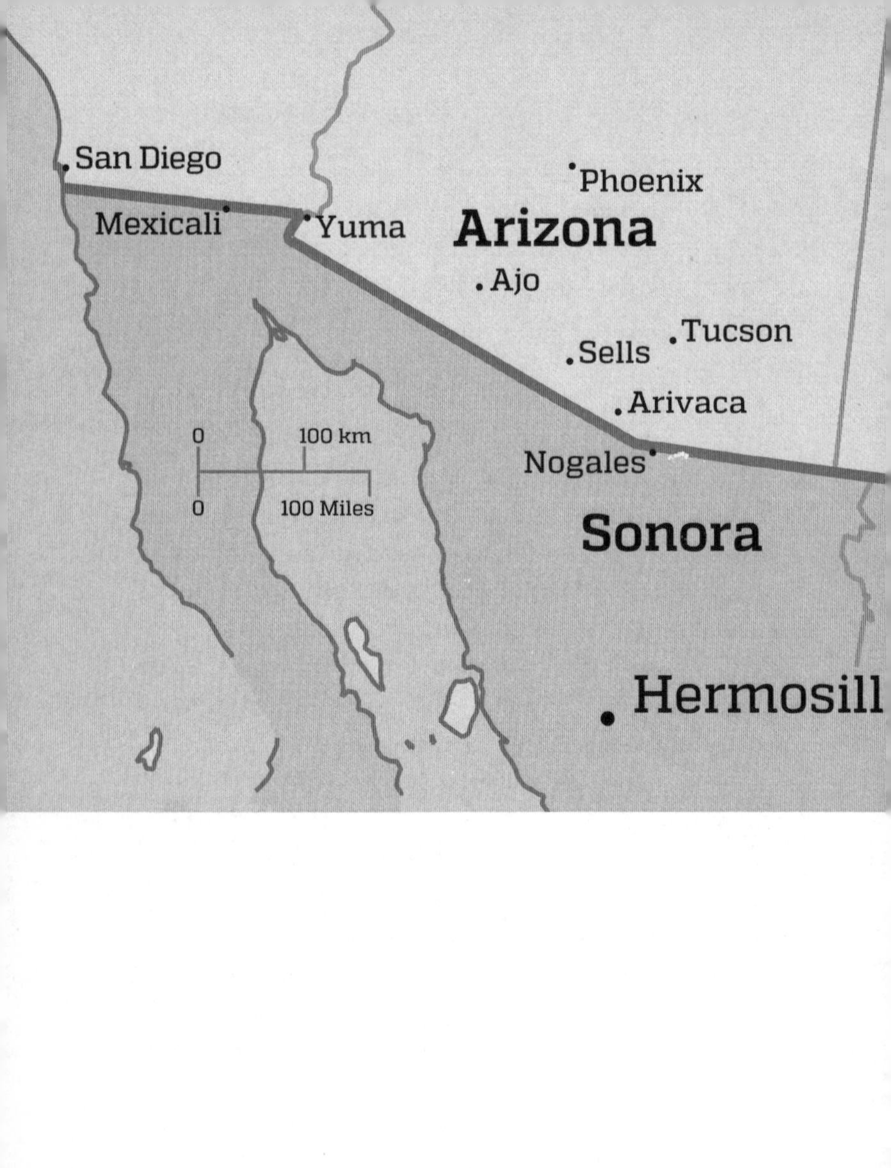
San Diego
Phoenix
Mexicali
Yuma
Arizona
Ajo
Tucson
Sells
Arivaca
0
100 km
Nogales
0
100 Miles
Sonora
Hermosill

La frontera

Físicamente, podríamos visualizar la frontera México-Estados Unidos como una zona delimitada por tres líneas de control, que se extienden de este a oeste desde Brownville-Matamoros hasta San Diego-Tijuana. La línea sur, por lo general bien adentrada en México, es donde se hace necesario pagarle a alguien para pasar. No hay ni un centímetro de la frontera que no pertenezca a alguien. Incluso cruzar sin guía significa pagar una costosa cuota a cualquier combinación de mafia y las patrullas del gobierno del lado sur. No es aconsejable tratar de evitar el pago de esta tarifa.[33]

La línea central es la frontera internacional. La línea del norte, 25 a 50 millas dentro de Estados Unidos, está en los puestos de control interior. Estos son lugares donde la Patrulla Fronteriza detiene e inspecciona todos los vehículos en todas las carreteras principales. Allí hacen un perfil de los pasajeros basándose primero en su color de piel, y también en la fluidez de su inglés. Cualquier persona que les parezca morena tendrá que demostrar un buen nivel de inglés. Algunas personas sin documentos que les parezcan morenas y hablen bien inglés pueden

---

33 Una vez conocí a un hondureño que logró pasar esperando en Nogales durante semanas hasta la noche de un esperado combate de boxeo. "Yo sabía que todos esos cabrones iban a estar viendo a Manny Pacquiao," me dijo. "Esperé a que comenzara la pelea y me escapé cuando estaban frente al televisor."

engañarlos y seguir. Sin embargo, a cualquiera que les parezca moreno y no hable inglés de forma fluida, le van a pedir documentos. Cualquiera que les parezca moreno, no hable inglés bien y no tenga documentos, será retenido.

Por lo tanto, para cruzar la frontera, tienes que tener el permiso para pasar por la línea sur, cruzar la línea fronteriza, y luego superar la línea norte hasta un lugar donde es posible ser conducido a la seguridad en un vehículo.

En algunos pueblos y ciudades, la línea sur se fusiona con la línea central en el muro fronterizo. Esto ocurre en lugares donde es imposible cruzar la frontera internacional. Así que no tienes porque pagarle a alguien para llegar a la ciudad de Nogales, pero no puedes cruzar el muro allí, tampoco. Si quieres salir al desierto donde puedes cruzar la línea fronteriza, hay que pagarle a alguien. La línea norte se extiende por todo Estados Unidos. Nunca es fácil, y por lo general es muy complicado alejarse de la frontera en el lado estadounidense sin pasar a través de un puesto de control.

Hay dos conjuntos principales de rutas de migración. Las rutas del noroeste están en Sonora y son controladas por el Cártel de Sinaloa. Estas también son las rutas principales para el tráfico de marihuana por tierra. Las rutas del noreste están en Tamaulipas, y son controladas por el Cártel del Golfo, antiguo rival y actual aliado de Sinaloa, y parece estar haciendo negocios con un modelo similar. En Sonora, el negocio de la trata de personas y el tráfico de marihuana está tan estrechamente relacionado que es más sencillo abordarlos como un todo.

Los dos conjuntos principales de rutas comparten esas características básicas, pero son completamente diferentes. Las rutas del noroeste atraviesan topografías de cuenca y cordillera, pintorescamente descritas por Clarence Dutton como "un ejército de orugas marchando hacia México." Estas rutas cambian abruptamente su elevación a medida que hay que alternar entre agrestes sierras y áridas cuencas. Por lo general es seco; los inviernos son bastante fríos y en verano es un horno. Todo el espacio entre las líneas del sur y del norte es desierto salvaje y deshabitado. La mayor parte del lado estadounidense es tierra pública, tribal o militar.

Las rutas del noreste atraviesan matorrales planos y arenosos. Generalmente es muy húmedo, y en el verano hace un calor sofocante. La línea central de control es el Rio Grande; pasa por las áreas metropolitanas del valle del río. Enormes haciendas ganaderas ocupan el espacio entre las líneas centrales y las del norte. Casi toda la tierra del lado estadounidense es privada.

No hay necesidad de describir cada corredor de migración en el país específicamente. La gente cruza por todos lados. Sin embargo, vale la pena pasar algún tiempo en los lugares donde ocurren más muertes: el sur de Arizona y el sur de Texas.

La parte más transitada de Arizona puede segmentarse en tres subcategorías. Las rutas del este, que atraviesan una maraña de jurisdicciones de terrenos de uso público, están entre las montañas Atascosa y las montañas Baboquivari. Tienen una elevación un poco más alta y son algo más frías, pero también presentan el terreno más rugoso y confuso. Es muy fácil perderse. Estos lugares están escasamente habitados; hay más ciervos y vacas que personas. El único lugar entre la línea del límite y la del norte donde hay alguna persona es en el pueblo de Arivaca. Es aquí donde nuestro trabajo solidario se ha centrado por muchos años.

Las rutas centrales a través de Arizona, que atraviesan las tierras tribales Tohono O'odham, pasan entre las montañas Baboquivari y las montañas Ajo. Son más cálidas y tienen una elevación menor que aquellas alrededor de Arivaca. Hay áreas de la reserva que están deshabitadas, pero también hay muchos lugares donde vive gente. Durante mucho tiempo no trabajamos en la reserva. A lo largo de los últimos años, hemos estado realizando operaciones de búsqueda y rescate ocasionalmente allí, bajo circunstancias específicas y con el permiso del gobierno tribal.

Las rutas occidentales pasan entre las montañas Ajo y las montañas Mohawk, a través de una mezcla de tierras públicas y militares. Son más bajas, más cálidas, e incluso mucho menos pobladas que cualquier otra. El único lugar donde vive alguien es en el pueblo de Ajo. Empezamos a trabajar en esta área varios años atrás.

La parte más concurrida de Texas está en Brooks County, entre McAllen y Falfurrias.

Demos un vistazo a cada uno de estos lugares.

Arivaca

La insólita historia de cómo Arivaca llegó a ser un epicentro de los esfuerzos de solidaridad con migrantes y refugiados es tanto interesante como instructiva.

Arivaca, Arizona es un pueblo de cerca de 700 personas. La población está muy dispersa en pequeñas y medianas fincas. Hay un bar, una tienda y de tres a seis iglesias dependiendo de la temporada. Tal vez sería posible analizar la demografía racial entre anglos y latinos, o la demografía subcultural entre vaqueros y hippies, pero la gente de Arivaca ha pasado por tanto mestizaje en todas las formas durante tanto tiempo que la mayoría de ellos son algo en medio. El lugar es realmente salvaje. Todavía hay perdigones en la puerta del bar, donde un hombre llamado Lucky accidentalmente se voló el brazo con una escopeta que tenía pegada a su abrigo. Nadie parece creer que Lucky tuviera malas intenciones: así era como él funcionaba.

Arivaca se convirtió en la zona cero para todo lo relacionado con la migración y la militarización fronteriza en los años posteriores a los atentados del 11 de septiembre de 2001. La Patrulla Fronteriza empujó el tráfico al oeste, fuera de Nogales y lo forzó hacia el remoto desierto que rodea Arivaca. Miles de personas, en todas las fases imaginables de desesperación, empezaron a llamar a las puertas traseras de las casas de los habitantes de Arivaca. En poco tiempo, Arivaca estuvo fuertemente militarizada: caravanas de la Patrulla Fronteriza podrían pasar por el pueblo a cualquier hora del día y la noche, listos para atacar y por lo general, tratando al lugar como si fuera Irak. No Más Muertes comenzó a trabajar en Arivaca en el 2004.

Brevemente Arivaca apareció en los titulares de las noticias nacionales en el 2009. Esta historia ha sido contada una y otra vez.[34] Lo que pasó después es lo que no se conoce tanto. El 30 de mayo, dos supremacistas blancos del Pacífico noroeste (Shawna Forde y Jason Bush), un hombre de Arivaca (Albert Gaxiola), y una cuarta persona que nunca llegó a identificarse cometieron un doble asesinato en Arivaca, en la casa de Raúl "Junior" Flores, su hija de once años Alexandra y el mismo Raul.

Durante varios años Forde y Bush habían estado alrededor del supremacismo blanco y del entorno de Vigilantes de la frontera. Forde estaba afiliada a Chris Simcox, el nacionalmente conocido fundador y portavoz de una serie de grupos de milicias de "Minuteman." Ella había ideado un plan para robar a los "miembros del cártel" para poder financiar un nuevo grupo, Minutemen American Defense (Defensa Estadounidense Minutemen). Buscó la ayuda de Bush, que estaba asociado con la Hermandad Aria, y que se sospecha de que había cometido otros dos asesinatos con motivación racial en el estado de Washington en 1997.[35] Gaxiola los llevó a casa de los Flores.

---

34 Ver *And Hell Followed With Her* (Y el Infierno Llegó Con Ella) de David Neiwert.

35 En el primer caso, un testigo dice que estaba caminando con Bush durante la noche del 24 de julio, que ellos se toparon con un sin techo durmiendo en el suelo y que Bush lo apuñaló hasta matarlo. Más tarde, la víctima fue identificada como Héctor López Partida. El testigo dijo que asistió a reuniones de las

Junior Flores, de acuerdo a la mayoría de opiniones que he escuchado alrededor del pueblo, probablemente estaba involucrado de alguna forma con el negocio local de la marihuana, como un buen número de otras personas en el sur de Arizona. Generalmente se piensa que tenía una disputa con Gaxiola, el cual también estaba involucrado, debido a algo relacionado con esto. Flores pudo no haber sido un ciudadano completamente respetuoso de la ley, pero la mayoría de la gente parece estar de acuerdo en que llamarlo "integrante de un cártel" era una exageración bastante grave. Nadie cree que él mereciera lo que pasó después. En las noticias, aunque no en Arivaca, generalmente se dijo que Flores y González eran ciudadanos estadounidenses de tercera generación.

Forde, Bush, y Gaxiola despertaron a la familia Flores cerca de las 5am; vestidos con camuflage y chalecos antibalas, y alegando ser de la Patrulla Fronteriza. Alexandra estaba durmiendo fuera de casa. Cuando Flores les pidió una identificación Bush le disparó en el pecho, y le disparó a González en la pierna. Saquearon la casa pero no encontraron nada de valor. Luego Bush le disparó en la cabeza a Brisenia, una niña de nueve años, hija de la pareja. González pudo devolver el fuego, hiriendo a Bush y los asaltantes huyeron. Ella sobrevivió, y contó una y otra vez la historia sobre la gente que irrumpió en su casa en

---

Naciones Arias en el norte de Idaho con Bush tres días después, y que ambos llevaban cordones amarillos en sus botas como símbolo de que habían matado a alguien. En el segundo caso, un testigo dijo que Bush ejecutó a un compañero supremacista blanco llamado Jon Bumstead dos meses después porque era "traidor de la raza y un judío."

medio de la noche y asesinó a su esposo y a su hija sin ninguna razón.

Cuando todo esto salió a la luz, hizo caer en picado la imagen del movimiento Vigilante de la frontera, una caída de la que nunca se recuperó y probablemente nunca se recuperará. Desde entonces se han destripado a sí mismos. En abril de 2010, la esposa de Chris Simcox obtuvo una orden de protección después de que él presuntamente sacara un arma y amenazara con dispararle a ella y sus hijos. El 20 de junio de 2013, él fue arrestado por múltiples cargos relacionados con acoso y abuso sexual de menores, que involucraban a tres niñas menores de 10, una de las cuales es su hija; Simcox fue declarado culpable de abuso sexual en junio de 2016 y está cumpliendo una pena de prisión de diecinueve años y medio. En mayo de 2012, otro líder Vigilante de la frontera de Arizona, Jason "JT" Ready, disparó y asesinó a su novia, su hija, el novio de su hija y su nieta de 15 meses; después se suicidó con la misma arma. Los "Minutemen" han mostrado lo que son: gente que busca oportunidades para infligir violencia hacia abajo en la jerarquía social, a menudo en niños.

Albert Gaxiola fue condenado a cadena perpetua y setenta y dos años más. Shawna Forde y Jason Bush están en el corredor de la muerte, en busca de alguien que los apoye. No han encontrado a nadie. Gina González, a un precio terrible, puede morir tranquila sabiendo que ella hizo los disparos que mandaron a este infame grupo al infierno. Solo Dios sabe qué pudo haber pasado si su puntería no hubiera sido tan certera.

Es casi imposible exagerar el impacto de los asesinatos de los Flores en Arivaca. Todo el mundo conocía a Gina y Junior; los niños de todos iban a la escuela con Brisenia. Yo estaba en Arivaca el día de los asesinatos y permanecería allí durante tres meses más. El estado de ánimo en el bar no solo era doloroso, sino ominoso. Pensé que habría represalias.

Tras los asesinatos, trabajadores solidarios como nosotros, éramos la única alternativa que quedaba en el pueblo. Estaba claro que había una crisis; nadie puede ignorarlo. La crisis podría llegarte a ti, en la forma de una mujer hondureña desesperada golpeando tu ventana en medio de la noche. El Estado se ha desacreditado completamente a sí mismo creando esta crisis y luego tratando a Arivaca como una zona de guerra. Los Vigilantes habían probado ser asesinos de niños. Habíamos estado allí durante cinco años, dejando botellas de agua en el desierto. Estaba bastante claro qué lado escoger.

A partir del 2016, hay una oficina de ayuda humanitaria cruzando la calle del bar. Ha habido repetidas protestas y actos de desobediencia civil en los puestos de control de la Patrulla Fronteriza fuera del pueblo y, a menudo, hay un gran anuncio que dice "Milicias Váyanse a Casa" mostrándose cuando conduces hacia el pequeño mercado agrícola de los domingos. Dudo que haya alguna municipalidad en todo el país donde un porcentaje mayor de personas haya actuado de forma concreta en solidaridad con migrantes y refugiados, o donde un porcentaje menor de personas cooperara con la Patrulla Fronteriza si pudieran evitarlo.

Los trabajadores solidarios de otros lugares han contribuido a esto, pero nosotros no lideramos nada, y la gente de Arivaca no siguió órdenes. En todo caso, lo que ocurrió fue lo contrario. Los locales habían estado ayudando a la gente durante años antes de que nosotros llegáramos allá. Lo que pasó fue una calle de doble sentido; locales y foráneos se influyeron entre sí. En este punto, se hace más difícil diferenciarnos.

Ni el Estado ni los Vigilantes tienen ninguna esperanza de recuperar las simpatías de este pueblo. No puedes tener a la gente en estado de sitio y esperar que lo olviden. Ni puedes dispararle a una niña de nueve años en el rostro y esperar que te perdonen. En este punto, cuando la gente en Arivaca acude a los viajeros que necesitan ayuda, es más probable que se ocupen ellos mismos, o que busquen nuestra ayuda. No es muy común que llamen a la Patrulla Fronteriza. Ni en mil años nadie llamaría a los Vigilantes.

Komkch'ed e Wah 'osithk (Sells)

Las políticas de migración en la reserva Tohono O'odham son extremadamente complejas. Yo no soy O'odham, y no hablo por la gente O'odham. Algunos pensadores O'odham cuyos análisis me han sido útiles son Ofelia Rivas, Alex Soto, y Mike Wilson. Animo a quien lee esto a buscar sus comentarios, entendiendo que las opiniones O'odham difieren y a veces chocan directamente.

Esto es lo que puedo decir desde mi punto de vista.

Repito: los colonizadores europeos robaron las tierras que actualmente conforman la frontera entre Arizona y Sonora a sus habitantes originarios mediante el genocidio. Es tierra O'odham, Apache, y Yaqui, ocupada por los gobiernos de México y Estados Unidos.[36] Si alguien tiene derecho a decidir quién puede pasar a través del territorio O'odham, es la gente O'odham, no esos gobiernos.

Hay muchas comunidades indígenas en Estados Unidos, y muchas comunidades en la frontera sur también, pero la reserva Tohono O'odham es uno de los pocos lugares en el país donde están los dos. Esto significa que cuenta no solo los problemas de Arivaca, sino además de Pine Ridge.[37] No es una exageración decir que se ha convertido en un estado policial militarizado. La gente O'odham sufre de acoso rampante y perfiles raciales en su propia tierra, son sacados de sus autos y casas por inexpertos agentes de la Patrulla Fronteriza de Connecticut que no pueden distinguir indígenas de latinos, y no podrían decirte la diferencia entre Sells, Arizona y San Pedro Sula, Honduras. La frontera ha dividido a los O'odham del lado sur de sus parientes en el norte; la militarización y la migración han llevado a la profanación de lugares sagrados y la interrupción de ceremonias. Además, el pueblo

---

36 Ver la Declaración de Lealtad del pueblo O'Odham a la Madre Tierra, La Voz O'Odham Contra el Muro, Octubre de 2011.

37 Ver *In the Spirit of Crazy Horse* (En el Espíritu de Caballo Loco) de Peter Matthiessen para más sobre Pine Ridge. También están las comunidades Lipan Apache, Yoeme, y Kickapoo en la frontera sur, aunque físicamente son más pequeñas que la reserva Tohono O'odham.

O'odham se enfrenta a los mismos problemas que otros indígenas en Estados Unidos: pobreza, desempleo, erosión de la identidad cultural, trauma multigeneracional y más.

El gobierno federal ha hecho todo lo posible para impulsar el tráfico hacia la reserva Tohono O'odham, fuera de la vista de las personas blancas. Casi cada año, más personas mueren allí que en cualquier otro territorio de un tamaño comparable en toda la frontera. El gobierno ha ofrecido la reserva como zona de sacrificio para la militarización de la frontera, las industrias de la trata de personas y el narcotráfico, del mismo modo que ha ofrecido a Black Mesa a la industria del carbón, y la montaña Yucca a la industria nuclear, por nombrar solo dos de innumerables ejemplos. En todos estos casos, han encontrado "lideres" tribales dispuestos a jugar su juego. Han convertido la O'odham *jewed* (tierra natal) en una trampa mortal.

El gobierno tribal O'odham trabaja estrechamente con la Patrulla Fronteriza, y prohíbe la ayuda humanitaria en la reserva, tomando la posición de que dicha ayuda incentivaría más migración a través de la tierra O'odham. En mi opinión, esta posición es absurda; claramente son las acciones del gobierno federal las que han forzado el tráfico dentro de la tierra O'odham y se aseguran de que permanezca allí. Reconozco, sin embargo, que el gobierno federal ha puesto al gobierno tribal en una posición imposible; están condenados lo hagan o no. Podrán controlar lo que hacen las organizaciones de ayuda humanitaria, pero no pueden controlar lo que hace la Patrulla Fronteriza. También reconozco que el gobierno tribal no es una entidad monolítica; hay voces de disenso dentro suyo.

Más importante aún, no escasean las personas O'odham que actúan autónomamente del gobierno tribal. El pueblo O'odham ha estado en la vanguardia de muchas de las cosas más interesantes que han sucedido en Arizona en los últimos años: desde la ocupación de la sede de la Patrulla Fronteriza en Tucson en mayo de 2010, pasando por las acciones para interrumpir la conferencia del Consejo Legislativo Estadounidense de Intercambio (ALEC por sus siglas en inglés) en Scottsdale en diciembre de 2011, hasta la campaña permanente contra la autopista de circunvalación 202 de Phoenix, y muchos otros ejemplos. He escuchado innumerables historias de gente O'odham solidarizándose con viajeros que pasan por sus tierras.

Como de costumbre, no hay ninguna solución fácil. No hay ninguna simple reforma que termine con el sufrimiento en la reserva. Creo que es justo decir que la mayoría de la gente O'odham es consciente de la terrible ironía de que miles de personas, incluyendo un gran número de indígenas, están muriendo en su tierra natal. Dudo seriamente de que muchos O'odham estén felices con esto.

En mi opinión, sería un paso en la dirección correcta si el gobierno tribal permitiera que organizaciones de ayuda humanitaria actuaran en la reserva. Pero si eso fuera lo único que cambiara, si el gobierno federal pudiera continuar con el uso de la reserva como zona de sacrificio, entonces sí, es posible que esto solo condujera a más tráfico en la tierra O'odham. Las necesidades de las personas indocumentadas no pueden desentenderse de la de los indígenas.

Ajo

Este lugar es sombrío. Rocoso, estéril, desprovisto de sombra y lastimero, ferozmente caliente.

Parte de este territorio fue el lugar de los hechos de mayo de 2001 descritos en "The Devil's Highway (La Autopista del Diablo)" de Luis Alberto Urrea, cuando 14 personas murieron allí tratando de cruzar cerca de las montañas Growler. A pesar de los discutibles argumentos que ofreció el departamento de relaciones públicas de la Patrulla Fronteriza en sentido literal, ese libro llamó mucho la atención sobre las muertes en la frontera.

La jurisdicción de la tierra en esas rutas se divide entre el monumento nacional Organ Pipe, la reserva nacional de vida silvestre Cabeza Prieta, la Oficina de Administración de Tierra y la Zona de la Fuerza Aérea Barry M. Goldwater. El acceso público a Cabeza Prieta y sobre todo a la zona Barry Goldwater está estrictamente controlado. Fuera del pueblo de Ajo, no vive nadie a lo largo de estas rutas. Muchas rutas evitan Ajo por completo. Los turistas frecuentan Organ Pipe. Muy pocos civiles caminan por Cabeza Prieta, menos todavía por Barry Goldwater.

Cuando empezamos a trabajar en esta área, nos dimos cuenta de algo sospechoso: cada año un montón de restos humanos son descubiertos en Organ Pipe, pero casi ninguno en Cabeza Prieta o Barry Goldwater. Esto no quiere decir que la gente no muera allí, solo que nadie va a investigar a esos lugares. Cuando empezamos a ir a Cabeza Prieta y a Barry Goldwater, empezamos a encontrar restos de inmediato.

Además de todos los desafíos que he descrito, quienes cruzan Barry Goldwater tienen que lidiar con el hecho de que es una zona de pruebas militares llena de artefactos sin detonar. Es posible salir volando por cosas que vengan de arriba o que estén abajo. Nadie sabe con qué frecuencia ocurre esto. Hay zonas donde ni la Patrulla Fronteriza puede ir.

Imagínate esto:

Hay un lugar dentro de una zona de pruebas militares. Existe. Hemos escuchado esto más de una vez, pero no sabemos exactamente dónde está. Es la copia de un pueblo que la Fuerza Aérea ha construido para prácticas de bombardeo. Lo construyen y lo destruyen a perpetuidad. A menos que la gente lo sepa, se dirige a este lugar, pensando que seguramente deben estar a la vista de *algo*, tal vez incluso Gila Bend. Lo que encuentran es que han vagado por el set de una película sobre Stalingrado, con bombas reales y sin dirección desde arriba.

Este es probablemente el peor lugar en toda la frontera.

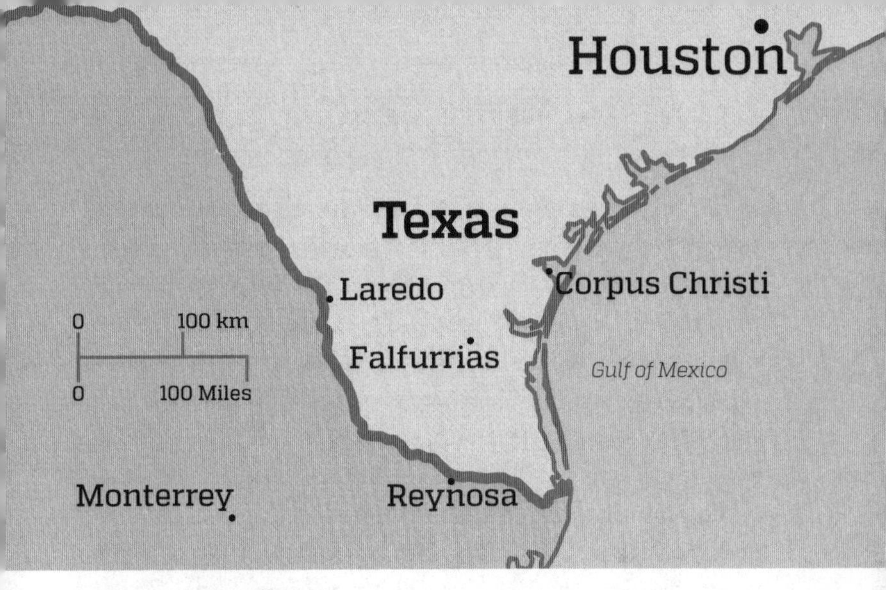

Falfurrias

El condado de Brooks, en el sur rural de Texas es el condado más pobre del Estado y entra regularmente en la lista de los más pobres del país. Recientemente ha sufrido una explosión de muertes de migrantes, sobre todo centroamericanos. Al igual que en Arizona, mucha gente está muriendo al intentar esquivar el puesto de control de Falfurrias, sobre la autopista 281.

Desde 2012 ha habido meses en los que se han descubierto más cadáveres en el condado de Brooks que en cualquier otra zona de tamaño similar en la reserva Tohono O'odham. Algo inaudito hasta entonces. Estoy menos familiarizado con la situación de Tamaulipas y Texas que con Sonora y Arizona, pero estoy bastante seguro que puedo identificar tres razones por las que esto ha ocurrido.

La primera se debe a la militarización de la frontera en Arizona. Este suele ser el primer factor que se menciona en la prensa estadounidense. Creo que algo tiene que ver, pero no tanto como quiere hacerse notar. Según mi experiencia, la militarización en Arizona sirve principalmente para regular la trata (de personas) de un lugar a otro: de un camino a otro, desde Arivaca a la Reserva, desde la Reserva a Ajo, etc. Es cierto que es más difícil cruzar ahora que a finales de la década pasada. No dudo que algunas personas hayan decidido arriesgarse a cruzar por Texas.

La segunda razón que se suele mencionar es el cambio en la política de la Patrulla Fronteriza, que estuvo en vigor desde finales de 2013 hasta algún momento del 2014. Como mencioné anteriormente, en esa época no deportaban inmediatamente a menores centroamericanos no acompañados ni a madres con niños menores de edad. Se corrió la voz. A principios de 2014 me encontraba en Guatemala y en los postes telefónicos había folletos, con mensajes como "¡Señoras, soy yo, Roberto, su humilde y honesto servidor! ¡Juro ante Dios que puedo meterlas con sus hijos en Estados Unidos!¡Sin necesidad de esconderse en un camión! ¡Sin caminar por el desierto! Llámenme a cualquier hora del día o de la noche: 5867-5309". Pero esta razón no lo explica por completo. Después de todo, la Patrulla Fronteriza nunca dejó de deportar a hombres centroamericanos, ni a mujeres sin niños, y esos sectores de la población también crecieron en Texas. Muchos, si no la mayoría de menores no acompañados y mujeres con niños menores que cruzaron hacia el sur de Texas en esa época no intentaron esquivar el puesto de control; cruzaron la frontera internacional y buscaron a la Patrulla Fronteriza para entregarse. Es algo muy diferente, y se corre un peligro mucho menor.

La tercera razón, raramente mencionada en la prensa es la política de los cárteles en el lado mexicano. El comienzo de las muertes en el condado de Brooks coincide con una serie de reveses contra los Zetas. Varios de sus líderes más influyentes fueron asesinados o capturados en ese momento (desde octubre de 2012 a octubre de 2013), y el cártel del Golfo recuperó el control de Reynosa, donde habían estado luchando contra los Zetas durante varios años. Y ¿quién lo iba a decir?, poco después un buen número de centroamericanos empezaron a aparecer en el condado de Brooks. Creo que el cártel del Golfo extendió en Centroamérica algo parecido a: "Bien, los adultos vuelven a estar al mando. Pueden volver a venir por aquí. Llamen a Roberto". Me parece que hubo un periodo tras las masacres de San Fernando en que la trata de personas en Tamaulipas se vino abajo. Ahora las cosas vuelven a la normalidad, lo que significa que va a morir gente.

Esto ha creado la tormenta perfecta en Texas.

El sur de Texas pide ayuda a gritos en forma de trabajo solidario. La situación ahí es mala. Mucha gente está muriendo. Sería genial que se lanzara una campaña solidaria con migrantes y refugiados a una escala semejante a la de Arizona. Pero esto ha demostrado ser algo difícil. Lo que ocurrió en Arizona fue una consecuencia natural a partir de unas condiciones particulares. No puede ser simplemente exportado a Texas.

Para empezar, hay dos diferencias fundamentales entre el sur de Texas y el sur de Arizona. Primero, la mayor parte de los terrenos donde la gente está muriendo en Arizona son de titularidad pública, por lo que podemos trabajar libremente. Prácticamente todos los terrenos de Texas donde intentan cruzar los migrantes son privados. Así que se necesita el consentimiento, si no la participación, de los propietarios y trabajadores de los ranchos de ganado. Es algo posible, pero requiere de trabajo.[38]

La segunda diferencia es que mientras que el sur de Arizona es muy montañoso, el sur de Texas es completamente llano. Las montañas crean caminos, lo que hace que hayan muchos buenos lugares para dejar víveres. En las zonas llanas no hay nada que haga que la gente camine por un lugar u otro. Lo mejor que se puede hacer es arrastrar barriles de 50 galones de agua hacia varios lugares, colocar banderillas azules encima de ellos y esperar a que la gente los vea. No es imposible, pero requiere del permiso y participación de los propietarios.

El último factor de complicación es que mientras que en Arizona fueron los "radicales" quienes empezaron a trabajar sobre el terreno, en Texas no fue así. A falta de

---

38 Ni los rancheros ni la gente que trabaja para ellos son automáticamente hostiles a los migrantes, ni siquiera a los trabajadores solidarios o a sus políticas radicales. A veces lo son, pero no siempre. De hecho, su apoyo es la base de nuestro apoyo en Arivaca y es la razón por la que nuestra organización es fuerte y no va a ser desalojada de ahí en un futuro cercano. Una de las razones es que muchos rancheros y buena parte de sus trabajadores son latinos. Otra es que incluso la gente que se consideraría de derecha tiende a ablandarse cuando tienen que mirar a la muerte y al sufrimiento a la cara. En Arizona existe una relación *inversa* entre el nivel de empatía hacia los migrantes de la persona blanca "promedio" y su distancia a la frontera. En Arivaca la gente es extremadamente comprensiva y en Phoenix es muy hostil.

otras opciones para responder al gran número de muertes, los rancheros del condado de Brooks organizaron sus propias patrullas para buscar a la gente. Patrullaban los ranchos, buscaban a gente en apuros y llamaban a la Patrulla Fronteriza cuando encontraban a alguien. Creo que fue una respuesta orgánica a la crisis y que más tarde fue influida por activistas reaccionarios del entorno de los "Vigilantes" fronterizos. Como se ha explicado antes, este grupo ha sido totalmente desacreditado en Arizona. Sinceramente, creo que las patrullas civiles eran mejor que nada. Estoy casi seguro de que salvaron alguna vida.

Pero colaborar de esta forma con la Patrulla Fronteriza es algo que en Arizona no hacemos de ninguna manera. Nunca les ayudamos a atrapar a la gente, y nunca entregamos a nadie que no lo desee. Mantener una relación antagónica con la Patrulla Fronteriza nos ha ayudado a reducir las muertes de migrantes, no a dificultarlo. Ser claros sobre nuestras formas de funcionar nos ha permitido buscar apoyo en los lugares apropiados y nos ha dado credibilidad allí donde la necesitábamos. A nivel práctico, significa que la gente que necesita ayuda no necesita esconderse de nosotros. También nos ha permitido jugar al "policía bueno/policía malo" con la Patrulla Fronteriza cuando necesitamos negociar. Esta dinámica se ha exacerbado en el sur de Texas porque, hay que admitirlo, la Patrulla Fronteriza se ha comportado mejor en Texas que en Arizona. La Patrulla Fronteriza es el problema, no puede ser parte de la solución. Ni siquiera si agentes o jefes individuales lo intentan, y a veces lo hacen.

Dicho esto, hay varios grupos y personas que hacen un trabajo efectivo en el condado de Brooks, sobre todo el Centro de Derechos Humanos del Sur de Texas en Falfurrias. Si alguien quiere involucrarse o iniciar un nuevo proyecto, recomiendo contactar con alguien de allí o en Corpus Christi.

Dos rancheros vivían cerca de nosotros: *El Pelón* y Marco Loco. Ambos veteranos de Vietnam, eran lo más diferente entre ellos de lo que se pueda imaginar.

El Pelón era totalmente calvo y tenía un bigote al estilo Ho Chi Minh, "un digno adversario", me dijo al describir al líder comunista vietnamita. Había vivido duros combates luchando con los Marines y había estado repetidamente expuesto al Agente Naranja. Tras la guerra se había mudado al desierto y ayudado a migrantes en apuros desde mucho antes que No Más Muertes u otras organizaciones humanitarias llegaran. A lo largo de los años ha dado comida y agua a miles de personas. Nosotros le gustábamos. Yo solía alimentar a sus burros.

Marco Loco nos odiaba con todo su ser. Destruía las botellas de agua que dejábamos cada vez que las encontraba, y alguna vez disparaba unos tiros más o menos en la dirección en que se encontraba nuestro campamento. Más de una vez me dejó bien claro que se sentiría encantado de poner una bala en mi cabeza. Iba a todas partes totalmente vestido de militar y gafas de sol. Tenía la cabeza bastante averiada y era peligroso. La gente le temía, justificadamente. A sus espaldas, todo el mundo le llamaba Marco Loco, pero nunca a su cara. Todos, excepto *El Pelón.*

Los dos rancheros eran buenos amigos. *El Pelón* a menudo nos invitaba a cenar, a usar su ducha o nos daba hielo. A veces Marco Loco estaba en su casa. Una vez empezó a amenazarnos a mí y a otro compañero de forma contundente. El Pelón le interrumpió, "Marco, estas personas son mis invitados, *están bajo mi protección*".

La salud de *El Pelón* se deterioraba vertiginosamente. Empezamos a pasar mucho tiempo con él. Tenía flashbacks y todo tipo de lesiones nerviosas. Nunca dormía. No comía ni bebía nada, excepto café, y pasaba la noche viendo películas de guerra, fumando y tirando la ceniza al suelo. Tomaba cantidades de morfina y Oxycontin como para tumbar a un caballo. Empezamos a dormir en su casa de forma regular.

Una noche se estaba formando una enorme tormenta. Era claro que iba a llover a cántaros. Hacía frío. Un grupo de siete migrantes llamó a su puerta.

"Lo siento, señor", dijo uno de ellos a *El Pelón*, "va a llover, ¿hay algún lugar donde podamos pasar la noche?".

"Sí", le respondió *El Pelón*," métanse en el granero. Está caliente y seco. Hay suficiente paja". Nos fuimos a dormir. Diluviaba, había mucho viento, rayos y relámpagos.

Lo primero que hicimos por la mañana fue comprobar si alguien se había visto atrapado en la tormenta. No encontramos a nadie y volvimos a la casa sobre el mediodía para ver cómo andaba el grupo de migrantes. Uno de nuestros voluntarios estaba en el camino de entrada.

"*El Pelón* está muerto", me dijo. "Está en la cama. Sus perros se están volviendo locos. Le practiqué la resucitación cardiovascular, pero no sirvió de nada. Hace casi una hora llamé al 911. Deberían llegar en cualquier momento". Tan pronto lo dijo vimos una ambulancia y una patrulla de policía en la distancia, dando brincos por el largo y rocoso camino hacia la casa. Mi estómago se revolvió.

Primero: había siete migrantes en el granero. Segundo: era totalmente consciente de que la casa de *El Pelón* estaba abarrotada de todo tipo de armas, desde antiguos trabucos hasta metralletas calibre 50 y todo lo que hay en medio. Había muchas posibilidades de que algo saliera mal. De repente, Marco Loco apareció de la nada en su cuatrimoto. No llevaba sus gafas de sol.

"¿Dónde está *El Pelón*?" Sonaba afónico.

"*El Pelón* está muerto, Marco. Lo siento", dije mientras agachaba la cabeza.

Nos miramos. Con mi zapato hice un círculo en el polvo. "Este soy yo", dije. Dibujé otro círculo, que tocaba al otro en un solo punto. "Este eres tú". Coloqué el pie en el punto en que ambos círculos se tocaban. "Este es *El Pelón*. Aunque no tengamos nada más en común, ambos lo queríamos". Un compañero fue hacia el granero a decir a los migrantes que se escondieran entre la paja. Marco se fue.

La ambulancia se fue con el cuerpo de *El Pelón*. El sheriff y el médico forense les siguieron. Los migrantes también se fueron. Marco volvió.

"Tenemos que encargarnos de las armas", me dijo.

Desmontó cada una pieza por pieza, metódicamente. "Esta es legal, esta también. Esta es un problema". Al día siguiente apareció por la casa un abogado. Todas las armas fueron depuestas legalmente.

La siguiente vez que vi a Marco fue en la ceremonia en recuerdo de *El Pelón*, frente a su casa. Llevaba puestas sus gafas de sol. Al final de la ceremonia hizo tres salvas de honor con su pistola. *Preparados. Apunten. Fuego. Boom. Apunten. Fuego. Boom. Apunten. Fuego. Boom.* No me dirigió una sola palabra.

La guerra de Vietnam terminó antes que yo naciera, pero igualmente mató a mi amigo *El Pelón.* Lo último que hizo en vida fue alojar a siete migrantes en su granero.

Marco dejó de sabotear las botellas de agua. Nunca le volví a ver.

El cruce

Ya descrita una parte del contexto voy a resumir cómo funciona el cruce en Sonora. No creo que sea muy diferente en Tamaulipas.

La gente llega a Altar (o Matamoros, Reynosa, Agua Prieta, Nogales, Caborca, Sonoyta, Mexicali...) y las mafias la dividen en grupos. Los grupos de siete a quince personas son los más normales. A menudo hay dos guías.

Como ya he dicho, a veces las mafias envían a los migrantes y la marihuana por las mismas rutas. Hay ventajas en ello: les permite usar a los grupos de personas como distracción. Los migrantes pueden ser una distracción para la marihuana, así como grupos pequeños de personas pueden ser una distracción para grupos más grandes. La mafia tiene millones de trucos, son muy buenos en eso. Pueden dejar que un grupo caiga hoy en manos de la Patrulla Fronteriza a cambio de un favor mañana. Para cualquier grupo siempre existe la posibilidad de verse involucrado en una trampa.

Hay veces que mantienen a los grupos separados. La marihuana se envía a través de rutas más escarpadas y los migrantes por las más sencillas. Eso en el mejor de los casos. Sin importar cómo se organice el tráfico, alguien tiene que estar pendiente de la visión global. En un día cualquiera puede haber hasta nueve grupos saliendo desde Altar, además de los grupos que ya están sobre el terreno. Alguien ha de encargarse de que la gente no se encuentre, o de que si lo hace, sea por un motivo concreto.

Salen.

Lo siguiente que ocurre podría ser descrito como un diagrama de flujo. Una vez que la persona sale, hay tres posibles resultados: llegar al destino, la deportación o la muerte. En el caso de que alguien consiga pasar, siempre existe la posibilidad de la deportación. En el caso de ser deportado, la persona puede intentarlo de nuevo. El ciclo continúa.

Cada historia es diferente. Pero casi todas comparten rasgos similares.

El grupo empieza a caminar en México. Alcanzan la zona de la línea fronteriza. La Patrulla Fronteriza enfoca su vigilancia y control aquí; es un momento delicado. Si nada va mal, el grupo cruza y continúa hacia el norte. Algunos días más tarde, si nada va mal, alcanzan la línea norte de control. El trabajo de la Patrulla Fronteriza también se hace presente aquí; otro momento delicado. Si nada va mal, encuentran su transporte, que les lleva a alguna casa o rancho. Entonces o se les mantiene atrapados para cobrar un rescate o se les transporta hacia su destino. ¿Llegan? Con suerte…

Muchas veces algo malo pasa en el desierto. Los viajeros son detenidos por la Patrulla Fronteriza, o pierden a su guía. Si son detenidos, serán deportados, o encarcelados y después deportados. Si se ven separados del guía, suele ser por alguna de estas dos razones. La primera razón es que el guía les abandone porque sean incapaces de mantener el ritmo: que estén enfermos, lesionados o en baja forma. La segunda razón es que sea el guía quien se pierde del grupo, normalmente porque la Patrulla Fronteriza los ha dispersado. Si pierden al guía estarán perdidos en el infinito desierto. O encuentran a alguien o mueren. Si encuentran a alguien comprensivo, tendrán oportunidad de lograrlo, con suerte. Si encuentran a la Patrulla Fronteriza serán detenidos. El ciclo continúa.

La frontera está diseñada para matar personas. El sistema no está estropeado: funciona.

Durante los últimos años, por fin hemos empezado a ver que los viajeros llevan consigo teléfonos celulares con servicio en Estados Unidos. Se pueden encontrar pagando diez veces su valor en Altar y otros puntos de origen cerca de la frontera. Esto significa que cuando alguien acaba en peligro, puede marcar el 911, como cualquier otra persona (si es que hay cobertura, lo cual depende mucho de la zona en que te encuentres... A menudo no la hay, un estado de las cosas que no es coincidencia).

Y donde hay cobertura, sigue existiendo el pequeño problema de que no todas las emergencias son tratadas de forma igualitaria. Las llamadas de emergencia son discriminadas por razones tales como el idioma o desde qué repetidor llega la llamada. Si se sospecha que la llamada es de alguien que está cruzando la frontera, se redirige hacia una línea especial de la Patrulla Fronteriza donde nunca contestan. No exagero. Si lo dudan, nobles lectores, les animo a situarse en medio del desierto, llamar al 911, explicar en español que están perdidos y necesitan ayuda, y que vean por su propia cuenta qué es lo que pasa a continuación. Esto es algo totalmente ilegal según un montón de leyes estadounidenses: es como si un operador no enviara nunca una ambulancia en respuesta a las llamadas realizadas desde una ciudad porque la voz de la persona que llama "sonara negra" (ups... no será que...). Pero pasa todos los días.

En algunas ocasiones los viajeros en dificultad han llamado al 911 y han sido informados de que no disponen de suficientes datos para empezar la búsqueda; luego han llamado a su familia, que a su vez llama al consulado, el cual nos llama a *nosotros*. Entonces *nosotros* hemos ido y encontrado a la persona que llamaba desde un punto conocido, exactamente donde decían estar. Y es que hay pocos lugares con "dos tanques de agua para ganado, uno lleno y otro vacío, cerca de tres molinos de viento al sureste de una montaña que parece un elefante y al suroeste de una que parece un camello", etc. Es algo que ha ocurrido más de una vez a pesar de que el gobierno es capaz de utilizar la geolocalización para triangular la posición del teléfono, y nosotros no, por no hablar de la diferencia de escala de recursos disponibles en nuestra organización y la que tiene el Estado.

"Si escuchas a los perros, continúa. Si ves antorchas en el bosque, continúa. Si alguien grita detrás de ti, continúa. No pares nunca. Continúa. Si quieres hacerte la idea de lo que es la libertad, continúa"

-Frase atribuida a Harriet Tubman, aunque quizá sea apócrifa. Hillary Clinton utilizó esta cita como metáfora en un discurso en la Convención Nacional del Partido Demócrata en 2008 y continuó citándola en su campaña electoral de 2016... mientras la administración para la que trabajaba había estado cazando a personas con perros cada día de esos ocho años. Yo me tomo el mensaje de forma algo más literal.

Diseñada para matar

¿A quién beneficia?

El sufrimiento que acontece diariamente en la frontera no es un accidente. No se trata de un error ni es el resultado de un malentendido. Es el resultado previsible e intencionado de las políticas implantadas en todos los niveles de los gobiernos de ambos lados de la frontera. Estas políticas tienen objetivos racionales y benefician directamente a ciertos sectores identificables de la población de los dos países. Puede ser algo malvado, pero no estúpido. Si esto suena algo estridente, déjenme explicar cómo lo he percibido sobre el terreno.

Tan pronto empecé a trabajar en el desierto me di cuenta de ciertas peculiaridades en la forma de operar de la Patrulla Fronteriza. Vigilaban y actuaban mucho en ciertas áreas y muy poco en otras, sin que eso correspondiera necesariamente con las "zonas calientes" o con las zonas de poco tráfico. De hecho, a menudo su accionar se desarrollaba de tal forma que parecía conducir (en vez de frenar) el tráfico *hacia* zonas más concurridas, donde la Patrulla Fronteriza mantenía un perfil bajo hasta el punto más al norte de la ruta. En ese punto volvía a actuar (moderadamente), pero para nada lo que imaginarías teniendo en cuenta la cantidad de gente que se mueve por ahí.

> Responda a la pregunta de quién se beneficia o lucra más directamente de una acción, evento o resultado y tendrá siempre el punto de partida del análisis o investigación, y a veces también el punto de llegada.
>
> *-Sir Arthur Conan Doyle*

Entonces empezaron a construir un montón de torres de vigilancia. Pero, de nuevo, las torres no se construían en los lugares con más tráfico, sino en sus márgenes. Parecía, otra vez, que su intención era forzar el movimiento hacia las rutas más concurridas. ¿Qué estaba ocurriendo? A su vez, no paraba de encontrarme con migrantes cuyos grupos habían sido divididos por helicópteros. La Patrulla Fronteriza les sobrevolaba a unos pocos metros de altura, lo que hacía que todo el mundo empezara a correr en direcciones diferentes, y al poco rato treinta personas acababan merodeando por el desierto en grupos de dos o tres personas. Lo que parecía más raro es que la Patrulla Fronteriza a menudo no hacía esfuerzo alguno para capturar a nadie tras dispersarlos… simplemente volaban hacia otro lado. ¿Por qué?

Recibimos una llamada del consulado mexicano. La familia de una persona les había contactado. Hacía nueve días que estaba desaparecido. La última vez que alguien le vio estaba cerca de un arroyo, con una costilla rota. Creyeron que estaba cerca de nuestra zona. Buscamos y buscamos durante una semana, pero nunca le encontramos. Su hermano, que tenía documentación, llegó con un caballo. Peinó el desierto a lomos del caballo durante una semana y acabó encontrando el cuerpo sin vida de su hermano.

Dos semanas después, un hombre llegó a pie a nuestro campamento. En una mano cargaba una de nuestras botellas de agua de litro y medio casi vacía, y en la otra una camiseta blanca atada a un largo palo. Me puso la botella casi debajo de la nariz y me dijo, "¡Esta agua me ha salvado la vida! ¡Estaba rezando a Jesús para encontrar agua! ¡Estaba seguro que iba a morir y encontré este agua en el desierto! ¡Creo que la Migra va dejando agua a lo largo de los caminos!"

"No es así", dije. "A la Migra no le importa un carajo si alguien vive o muere. Nosotros dejamos esa agua".

"¡Cabrones!", contestó. "He estado agitando esta camiseta hacia sus helicópteros durante tres días. Simplemente me sobrevolaban. Cuando quieres que aparezcan se esfuman y cuando no quieres saber nada de ellos, ahí están". Comprobé las marcas en la botella. La habíamos dejado hacía dos semanas, en una localización inusual a la que fuimos únicamente cuando estábamos buscando a la persona que murió.

A lo largo de los años, No Más Muertes ha desarrollado una comprensión bastante exhaustiva de la zona que cubrimos, que en algunos momentos ha sido uno de los lugares más transitados de toda la frontera. Nos hemos formado una imagen bastante clara en la que en todo momento sabemos desde qué lugar empieza el tráfico, hacia donde va, cómo llega, donde se masifica y qué zonas están tranquilas, las zonas donde los inmigrantes pueden quedar rodeados y así. Creo sinceramente que si trabajara en la Patrulla Fronteriza y me indicaran cualquier punto en el mapa, sabría cómo hacer para cerrar el tráfico. No es ninguna ciencia. Hay que tener en cuenta que nuestro trabajo ha sido realizado por voluntarios civiles sin entrenamiento, armados con localizadores GPS de los baratos, algunos camiones viejos, software de mapeo muy básico, sencillos teléfonos celulares con servicio bastante irregular y un presupuesto muy limitado. ¿Parece lógico que nos las arreglemos mientras el gobierno estadounidense no puede, a pesar de contar con helicópteros, drones, sensores electrónicos, flotas de camiones en buen estado, sistemas de visión nocturna, sistemas de comunicación, vigilancia y mapeo de última generación, decenas de miles de empleados y un flujo ilimitado de dinero para malgastarlo a la más mínima oportunidad?

Mi respuesta es que no es lógico. Entonces, ¿qué está pasando?

Si crees literalmente en los objetivos que declaran tener en la frontera, nada de todo esto tiene sentido. Si por el contrario consideras que los objetivos reales no son los que dicen tener, las cosas empiezan a cobrar sentido. El trabajo de la Patrulla Fronteriza, y los objetivos reales de las políticas que ejecutan, *no* es parar la inmigración ilegal. Es administrar y controlar esa migración.

¿Pero con qué fin? ¿Para beneficio de quién? Acomódense, porque es complicado.

Primero, es claro como el agua que la economía estadounidense depende en no poca medida de la explotación de los indocumentados. Tú lo sabes, yo lo sé, los guatemaltecos que trabajan instalando el aire acondicionado en el Trump International Hotel lo saben, pero es algo extremadamente tabú para decirlo en voz alta y en público. Lo siento, pero cualquiera con un mínimo de sentido común debería ser capaz de ver que si el gobierno realmente quisiera construir un muro de Berlín de 3000 km de largo y luego, de alguna manera, atrapar y deportar a los casi 12 millones de personas indocumentadas del país, habría una masiva e inmediata interrupción en los sectores agrícola y en el de la explotación animal, por no mencionar el sector de la construcción, lo que probablemente conllevaría serias dificultades en la distribución de alimentos a nivel nacional y posiblemente, hambrunas. No exagero.

Las personas que redactan las políticas fronterizas no son tontas. Entienden esto perfectamente, aunque es evidente que no lo comprenden así la mayoría de personas que han votado a Trump para presidente. Sin importar lo que cualquier político o experto diga, no creo que nadie vaya a poner fin a la inmigración ilegal mientras el trabajo de indocumentados sea necesario para mantener la estabilidad del sistema económico. Pero para aquellos de nosotros a los que no nos gusta ver a la gente tratada de esta forma extrema, no es una buena noticia, porque lo que importa es que esa migración continuará siendo administrada y controlada.

La frontera es una farsa enfermiza con un desenlace mortal. Su objetivo es hacer que entrar en el país sin papeles sea extremadamente peligroso, traumático y caro, pero *posible*. La meta no es impedir que la gente venga, nada más lejos de la realidad. Es para asegurar que cuando finalmente lleguen, la amenaza de deportación signifique algo muy serio. Implica gastar mucho dinero. Implica arriesgar tu vida para volver. Implica que quizá nunca vuelvas a ver a tu familia. Para los empresarios estadounidenses supone un enorme y desechable suministro de mano de obra que es vulnerable, y por ello fácil de explotar, lo que a su vez conlleva la baja de salarios para los trabajadores con ciudadanía estadounidense. Es por ello que el viejo dicho acerca de que "los inmigrantes vienen a nuestro país para robarnos el trabajo" es tan convincente. Como muchas buenas mentiras, es poderosa porque omite la parte más importante de la verdad.[39]

39 La mentira pasa a ser aun convincente cuando los autoproclamados liberales (más exactamente, neoliberales) responden con una mentira de cosecha propia, "Realizan los trabajos que los estadounidenses no quieren hacer". Falso. Estados Unidos cuenta con millones de personas crónicamente desempleadas, empleadas a tiempo parcial, no cualificadas o semi-cualificadas con la ciudadanía en regla. Muchas de ellos estarían felices de trabajar en muchos de los empleos que ahora realizan los trabajadores indocumentados si ese trabajo estuviera pagado de forma razonable (unos 15$ la hora), en vez de los 6 a 8 dólares que se les pagan, salario que únicamente es factible gracias al control migratorio y al intercambio desigual. Yo debería saberlo, soy uno de esos trabajadores.

Aquellos que creen que la inmigración y el control fronterizo protegen los trabajos o los salarios de los trabajadores estadounidenses están interpretando realmente mal la situación. Incluso si limitamos el alcance de nuestro análisis al comportamiento competitivo del mercado, parece claro que si los trabajadores indocumentados no estuvieran sujetos a riesgos y presiones tan extraordinarias, actuarían como cualquier otra persona para obtener el mayor salario que el mercado pudiera ofrecer. De hecho, a pesar de tener que superar obstáculos que no afectan a otros trabajadores, los indocumentados han demostrado ser capaces de luchar una y otra vez por mejores salarios. Pero son el control fronterizo y el de la inmigración los que hacen bajar los salarios: ese es el *objetivo*.

Aquí hay otra pista que es fácil de seguir:

Los inmigrantes mexicanos y centroamericanos son los suplentes del "coco" en la política estadounidense, siempre a mano para cuando no haya nada más con que aterrorizar a los ciudadanos.[40] El alarmismo anti-inmigratorio aumenta y decrece precisamente con la aparente amenaza del terrorismo jihadista. Cada vez que hace falta un peligro claro y preciso, el llamado debate sobre la

40 A lo largo de los años, en Estados Unidos varias identidades han servido como chivos expiatorios. Ver "Heteropatriachy and the Three Pillars of White Supremacy" (Heteropatriarcado y los tres pilares de la supremacía blanca), de Andrea Smith, que define al "salvaje", al "animal" y al "extranjero" como símbolos nacionales a los que acudir para justificar el genocidio, la esclavitud y la guerra, respectivamente. Es un texto útil, pero creo que es mi deber mencionar que la autora se metió en un gran problema al afirmar durante años que era indígena cherokee, cuando no es cierto.

inmigración se convierte, en la práctica, el tema de seguridad nacional más importante para los políticos.
Hay otros dos factores que complican la ecuación: el estado de la economía estadounidense y el estado de sus movimientos sociales. El sentimiento anti-inmigración cobra importancia cuando la economía va mal y requiere de menos mano de obra indocumentada; pasa a ser menos importante cuando la economía va bien y necesita más.[41] De forma similar, ese sentimiento cobra relevancia cuando los movimientos sociales son débiles, y languidece cuando son fuertes.[42] Estos son los problemas algebraicos de la ansiedad en Estados Unidos: rellena los valores y podrás obtener el resultado. Ambos partidos políticos en Estados Unidos están siempre intentando sacar el máximo provecho de estas dinámicas.

La estrategia del Partido Demócrata tiene pequeños matices. Lo primero que hacen es culpar al Partido Republicano por la falta de progresos en temas de inmigración. Esperan así mantener el apoyo de votantes de las comunidades inmigrantes. Segundo, a no ser que sus bases les presionen de forma severa para hacerlo, no impulsarán medidas pro-inmigración alguna. Si algo bueno salió de

---

41 En el tema del control migratorio pasa lo mismo.

42 Uno de los éxitos no reconocidos al movimiento Occupy fue que cambiaron los términos del debate sobre la inmigración. La utilización de los inmigrantes como "chivo expiatorio" fue más intensa desde el principio de la crisis financiera en 2008 hasta el nacimiento del movimiento Occupy en 2011. A partir de entonces, pasó a ser aceptable el echar la culpa a los banqueros y al sector financiero en vez de a los personas indocumentadas. Esto ayudó a obligar a la administración Obama a realizar los cambios en sus políticas en 2013 y 2014.

la administración Obama en cuestión de reformas en el tema de la inmigración fue por la presión, es la única razón por las que se han llevado a cabo. Los Demócratas esperan que esa inacción les evite alienar a los votantes anti-inmigrantes. Tercero, aumentaron el número de deportaciones a niveles no vistos hasta entonces, ni siquiera imaginados. La administración Obama deportó, cada uno de los 8 años de su mandato, a más personas de las que ninguna otra administración lo hiciera, a unas 400.000 personas al año. Del 2009 al 2013 las deportaciones crecieron de forma constante, bajaron algo en 2014 y 2015, y repuntaron en 2016, cuando el gobierno intentó deportar a aquellos que cruzaron en el periodo de 2013-2014 del que hemos hablado antes. Todo esto, asumiendo que se pueda confiar en las famosamente flexibles estadísticas estatales, algo por lo que no apostaría demasiado.

Cuando necesiten cortejar a los votantes conservadores, los Demócratas podrán utilizar esos números para pregonar sus credenciales respecto a "la ley y el orden". Y a la inversa, pueden elaborar otras estadísticas que les hagan parecer compasivos cuando necesiten complacer a los liberales. El Partido jugó a la rutina de "Peanuts" durante 8 años, excepto que en esta versión Charlie Brown no solo pierde el balón, sino que además acaba atropellado por el autobús. Se podría opinar que todo habría sido mejor con los Republicanos, puesto que no les habría puesto nerviosos el ser flanqueados por la derecha en temas de seguridad nacional. Esta estrategia funcionó bien para los Demócratas, pero no tanto para los cientos de miles de familias que desmembraron, o para las miles de personas cuyos huesos están desparramados por el desierto. En el momento en que escribo esto, los Demócratas se están bajando del escenario, habiendo roto todas sus promesas, ofreciendo mansamente las riendas del poder a los nacionalistas blancos. Gracias y buenas noches a todos: no podríamos haberlo hecho sin ustedes.

La estrategia Republicana es más directa: apelan directamente al miedo y al racismo. Está claro que sigue siendo una apuesta ganadora.[43] A pesar de ello, se pueden ganar batallas y perder la guerra. A pesar de que Donald Trump haya ganado las elecciones, la estupidez del Partido Republicano es increíble. Si hubieran sido listos, los Republicanos habrían aprobado algún tipo de reforma migratoria y de amnistía durante la primera administración de Bush, tal como la administración Reagan lo hizo en 1986. Podrían haber aprobado cualquier cosa tras los ataques del 11-S... pero todos sabemos qué es lo que acabaron haciendo. Si hubieran aprobado alguna reforma de ese tipo, se podrían haber ganado el voto de toda una generación de latinos, y el partido habría sido capaz de retener el poder durante un tiempo. En vez de ello, igno-

---

43 Apenas un millón más de personas votaron a los Republicanos en 2016 que en 2012. En 2012 les votó un millón más de personas que en 2008. En 2016, los Demócratas fueron votados por seis millones menos de personas que en 2008 y Clinton todavía ganó el voto popular. Así, la lección de las elecciones de 2016 no es que sea que las bases del Partido Republicano hayan crecido, menos teniendo en cuenta que la población ha aumentado casi 20 millones desde 2008. Más bien es que tras ocho años de desencanto, un buen porcentaje de las bases del Partido Demócrata parece haber perdido la fe en el proceso político.

raron la cambiante demografía del país y se decantaron hacia la supremacía blanca.

Esta estrategia ha resultado ganadora al menos una vez más, y los Republicanos han acabado definiéndose como el partido de la xenofobia pura y dura y del retrógrado "poder blanco" en un país crecientemente multirracial y con una generación que ha crecido con el hip-hop. No creo que sea una estrategia ganadora a largo plazo. Lo más probable es que se les vuelva en contra en 2020, si no antes. Y cuando lo haga, puede que destroce al partido por dentro, si es que no lo hace con el país entero.

Aquí tienen un último indicio para ayudar a entender el propósito real de la frontera: buena parte de la legislación que se convierte en política del gobierno es redactada por las empresas que esperan aprovecharse de ella. El borrador de La Ley Estatal 1070 de Arizona, que pretendía que la policía encerrase a cualquier persona que no pudiera demostrar haber entrado legalmente en el país, fue propuesto en el Grand Hyatt Hotel (en Washington DC, en la otra punta del país), por las autoridades del multimillonario Corrections Corporation of America (CCA-Corporación de Correccionales de Estados Unidos), la empresa de cárceles privadas más grande del país.[44] Esto ocurrió durante un encuentro del American Legislative Exchange Council (ALEC-Consejo Americano de Reformas Legislativas), una organización compuesta por legisladores estatales y poderosas em-

---

44 La CCA se volvió a llamar CoreCivic después de perder el contrato para la gestión de las prisiones bajo la Agencia Penitenciaria.

presas. La ley, que fue parcialmente rechazada pero que sirvió como modelo para leyes casi idénticas que se aprobaron en otros Estados, se diseñó para enviar a cientos de migrantes a la cárcel, lo que implica cientos de millones de dólares en beneficios para empresas como CCA, responsables de "acoger" a los presos. El interés de este tipo de empresas no es parar completamente la inmigración ilegal; su interés es que lleguen suficientes inmigrantes como para llenar sus celdas.

Así, ¿quién se beneficia de toda la muerte que ocurre en el desierto? En un sentido amplio: toda la clase dominante. Pero no acaba ahí, de ninguna manera. Para explicar bien esta historia, deberemos retroceder un poco.

Recapitulando: la firma del TLCAN (Tratado de Libre Comercio de América del Norte) en 1994 destruyó al sector agrícola mexicano y dio lugar al tsunami migratorio hacia los Estados Unidos. Ese mismo año, la administración Clinton lanzó la Operation Gatekeeper (Operación Guardabarrera), un programa que incrementó masivamente la financiación de las operaciones de la Patrulla Fronteriza en la zona de San Diego (California). El gobierno federal aumentó considerablemente la vigilancia y el control en ese sector, y construyó un muro de 23 kilómetros entre San Diego y Tijuana. La Operation Gatekeeper marcó el inicio de una carrera de dos décadas por una creciente militarización de la frontera, que continuaría creciendo incesantemente durante las administraciones de Clinton, Bush y Obama, y que sin duda continuará con la presidencia de Trump. Cada año hay más efectivos de la Patrulla Fronteriza, de la Guardia Nacional, más helicópteros, más vallas, más torres, más puntos de control, más sensores, más armas y más perros alrededor de la frontera.

Todas las personas que me han hablado del tema me comentaron que antes era mucho más fácil cruzar la frontera que ahora.[45] La mayoría de gente cruzaba la frontera en zonas urbanas relativamente más seguras, como El Paso, San Diego o el Valle del Bajo Río Grande en Texas. Desde que la Operation Gatekeeper se puso en marcha, la Patrulla Fronteriza hizo mucho más difícil la entrada al país por esos lugares; con el paso de los años, ha dirigido metódicamente el tráfico hacia zonas montañosas y desiertos cada vez más remotos, cobrándose muchas más vidas. Llegados a este punto, creo que el juego está llegando al final. El gobierno ha desviado el tránsito hacia las más recónditas y mortíferas zonas de la frontera, que es donde quieren que esté. Esto no significa que la situación sea totalmente estática (la Patrulla Fronteriza se centra de vez en cuando en alguno de esos agujeros y deja otros más desocupados), pero en general creo que es más o menos estable. Queda por verse si la nueva administración fundamentalmente cambiará esto.

Estos cambios han provocado algunos efectos secundarios interesantes. Como he dicho, en décadas anteriores, mucha gente venía a Estados Unidos a trabajar en temporada y no volvían hasta el año siguiente. Ahora que entrar en el país es un tormento, se ha convertido en algo mucho menos común. La gente que viene normalmente se queda todo el tiempo que puede.

---

45 En nuestra zona definitivamente era más fácil en 2008 que en 2016.

La mayoría de gente que cruzaba solían ser hombres cuyas familias se quedaban al sur de la frontera. Ahora hay muchas más mujeres y niños que cruzan, ya que no es factible que los hombres trabajen en el norte sin que eso signifique perder a su familia para siempre. Finalmente, hay muchas más personas que han vivido en Estados Unidos por largo tiempo que intentan volver a sus hogares tras ser deportadas. Este grupo de personas enfrentan un dilema particularmente duro si en el camino se topan con problemas. A menudo he escuchado a personas cuyos niños viven al sur de la frontera decir cosas como: "Creí que iba a morir, y solamente podía pensar en mis hijos. Es mejor que intente volver a casa en vez de arriesgarme de nuevo a morir". Y a gente cuyos hijos viven al norte de la frontera decir algo parecido a "Si he de arriesgar morir para volver a casa para estar con mis niños, lo haré".

Mi compañero y yo conducíamos por la carretera. Tres hombres estaban parados ahí: un joven, un adulto y un tipo realmente grande. "¿Cómo están?", les pregunté.

"No muy bien", respondió el joven. "Nuestro guía nos abandonó y hemos estado totalmente perdidos durante tres días. Estamos exhaustos, ya no podemos continuar. ¿Podrías llamar a la Migra para que nos recoja?"

"Sí, claro, puedo hacerlo si es lo que quieren", le dije. "Patrullan por aquí todo el rato, me sorprende que no se los hayan cruzado".

"Sí, por favor, llámalos. No queremos seguir así"

"¿Están seguros?"

"Sí."

Llamé a la Patrulla Fronteriza y les di nuestra localización. Mientras esperábamos el joven y el adulto se sentaron juntos, mientras el tipo grandote estaba estirado al otro lado de la carretera con sus brazos tras la cabeza y los pies apoyados en una roca. Estaba claro que el joven y el adulto eran buenos amigos, y que a ninguno de ellos les agradaba mucho el grandote. Le llamaban "Flaco", lo que no era muy amable. "Ese tipo es un cabronazo", dijo el joven. "Espero no volver a verlo".

Un rato más tarde le preguntó a mi compañero si podía usar su teléfono celular. "Mi mujer y mi hija recién nacida viven en Los Ángeles", dijo. "Quiero decirles que estoy bien". Agarró el teléfono y se alejó para llamar.

Volvió diez minutos más tarde. Antes de la llamada se mostraba calmado y dueño de sí mismo. Ahora parecía profundamente perturbado y por las mejillas le corrían lágrimas. "¡A la mierda!", dijo. "Me voy. Mi bebé está enferma. Me necesita. ¿Dónde estoy? ¿Cómo me voy de aquí?¿Hacia dónde está el norte? ¿Me podrías dar algo de agua? ¿Tienen algo de dinero?"

"¡Jesús!", dije yo. "Hace una hora que llamé a la Migra. Van a llegar en cualquier momento. ¿Qué quieres hacer?"

"Me voy de aquí", dijo.

El adulto se acercó corriendo hacia él. "¿Qué está pasando?", preguntó. "¿Estás bien?"

"Carina está enferma. Me necesita. Voy a ir a verla."

"Espera, eso es una locura", dijo el adulto. "¿Cómo vas a...?"

"¿Cuán lejos está? ¿Tienes algo de comida?", me preguntó el joven.

"Creo que es muy mala idea que vayas solo", le expliqué. "Podrías morir y eso no haría ningún bien a tu hija. Quizá deberías volver, descansar, juntarte con otro grupo y volverlo a intentar en una semana o dos".

Movió la cabeza, todavía llorando. "Puede que mi hija necesite una operación. Va a ser muy costosa. No puedo permitirme volver a pagar para cruzar. No tengo tiempo de hablar. Ya vienen." Empezó a caminar hacia las montañas.

El adulto me miró, miró al joven, me volvió a mirar y volvió a mirar a su amigo. "Espera Paco... Bien, voy contigo".

Les puse tanta agua y comida en sus manos como pude. "¿Ven esas montañas allá? Vayan en esa dirección. Cuando se acerquen, diríjanse hacia esas otras. La autopista está ahí. Si necesitan ayuda, es el único lugar donde la pueden encontrar. ¿Tienen algo de dinero?" Ambos negaron con la cabeza. Les di cinco dólares. En ese momento de mi vida es la pura verdad que eran los últimos cinco dólares que tenía. Se fueron.

En todo ese rato, Flaco ni se movió. "Esto no me gusta nada", me dijo mi compañero. "Has llamado a la

Migra dando aviso de tres personas, ¿y ellos llegarán y solamente verán a una sola? No es bueno".

"Sí", contesté. "Vámonos de aquí". Me dirigí a Flaco, "Ummm, nos vamos. Aquí tienes algo de agua y comida. Siempre demoran en llegar, pero llegarán. No te muevas, ¿de acuerdo?"

"Sí, lo que sea", dijo él. Nos fuimos conduciendo, sin saber qué pasó con ninguno de ellos.

Como espero haber dejado claro, la política de dirigir el tráfico de migrantes hacia zonas extremadamente peligrosas no implica una intención de detener o siquiera disuadir a las personas que quieren entrar ilegalmente al país. Esta compleja y perversa estrategia tiene varias ventajas. Permite a los políticos quedar bien frente a la cámara mientras siguen suministrando a la economía estadounidense los trabajadores agrícolas y empacadores de carne de los que depende. Proporciona grandes oportunidades a grandes empresas para conseguir enormes contratos gubernamentales, por ejemplo: el transporte de migrantes a las empresas Wackenhut y G4S, a la Corrections Corporation of America a detenerlos, y a Boeing construir infraestructura de vigilancia. Justifica los elevados salarios de las cerca de 20.000 personas que trabajan para la Patrulla Fronteriza. Tiene otros beneficiarios también, de los que hablaré brevemente. En conjunto, la militarización de la frontera se entiende mejor si imaginamos una enorme vaca lechera de la cual las empresas van a extraer hasta la última gota, un proyecto que a nivel económico quizá solo sea comparable a la guerra de Irak.

El resultado de esta política es de lo más educativo. Al igual que antes era más fácil cruzar la frontera, también solía ser más barato. Algo que no sorprenderá a nadie familiarizado con las leyes de la oferta y la demanda. Cualquier servicio será más caro si cada vez es más difícil de proporcionar, y el servicio de hacer pasar clandestinamente a las personas por la frontera es un caso práctico en el estudio de esta ley. Los precios crecieron y crecieron al tiempo que la Patrulla Fronteriza alejaba más y más a la gente de las ciudades y establecía más y más puntos de control que hacían el viaje más y más largo, hasta que llegó un punto en que el beneficio de mover a las personas era tan grande como el de transportar drogas. En ese momento, los cárteles que ya controlaban el negocio de la droga reconocieron una excelente oportunidad comercial, acabaron con la competencia y se adueñaron del juego.

Esto transformó lo que había sido un negocio relativamente moderado en una industria lucrativa, altamente centralizada y crecientemente brutal con miles de millones de dólares en juego. No hay duda de que los cárteles están entre los principales beneficiarios de las políticas mexicanas y estadounidenses, que desde el fin de la Guerra Fría hacen referencia a drogas, comercio e inmigración.

De forma nada sorprendente, el ascenso de los cárteles hasta la posición de dominio absoluto en lo que es una industria al alza conllevó un enfoque masificador y a una metodología extraordinariamente inhumana. A menu-

do he escuchado a estas organizaciones ser denominadas redes de *polleros* (teniendo en cuenta que *pollo* es el nombre que le damos a un gallo o gallina muerto). Esto da cierta idea del grado de atención que estas organizaciones suelen invertir en cada ser humano a través del proceso de llevar a la gente hacia Estados Unidos. He visto grupos de hasta 50 personas, y he oído hablar de grupos de hasta cien, ser dirigidos por el desierto literalmente como un rebaño, con los enfermos y heridos atrás, intentando seguir el ritmo. He conocido a gente a la que se le había prometido que, lo que en el mejor de los casos es un exigente viaje de cuatro o cinco días, les iba a llevar solamente 12 horas; también he escuchado muchos relatos de cómo muchas personas han sido abandonadas sin pensarlo por sus guías cuando no podían seguir el ritmo.

Como resultado de la militarización de la frontera, los precios han crecido hasta el punto que a los centroamericanos les puede costar casi 10.000 dólares ser conducidos a Estados Unidos. Las tarifas para los mexicanos varían mucho, pero no son nada económicas.

No te sorprenderá el hecho de que muchas de las personas que desean migrar no tienen 10.000 dólares al alcance de la mano. Los cárteles han desarrollado varias soluciones ingeniosas para este problema, que a menudo implican secuestros o servidumbre por contrato. He conocido a personas que han estado años trabajando en Estados Unidos simplemente para poder pagar la cuota inicial, algunos de ellos retenidos en condiciones de trabajo esclavo. He conocido a otros que consiguieron atravesar el desierto y fueron inmediatamente retenidos para pedir rescate por los mismos grupos que los condujeron. Aquellos que consiguieron algunos miles de dólares más fueron liberados. Aquellos que no fueron golpeados durante días y devueltos al desierto, donde la Patrulla Fronteriza, que claramente tenía algún tipo de arreglo con los secuestradores, les detuvieron en cuestión de minutos para ser deportados. No estoy bromeando. Es todo un escándalo.

Como los tres reyes magos, Nacho, Chucho y Don Bigotes aparecieron justo antes de navidad. Habían estado juntos en las buenas y en las malas.

Chucho era de Ciudad de México, veintipocos años. Era grande, fuerte y de pocas palabras. Se podía adivinar que sabía defenderse con los puños. Chucho era un gran grafitero, hacía buenas bases musicales y se sabía letras enteras de artistas del hip hop latino. Era básicamente un b-boy y podría hacerse espacio en cualquier lugar donde se reconozca la cultura del hip-hop. Tenía una gran presencia en las redes sociales, por decir lo menos.

Nacho tenía treinta y muchos años, y era hondureño. Había vivido y trabajado sin documentación en México durante 15 años. Eso quedaba demostrado con su asombrosa habilidad para cambiar entre las diferentes formas en que se habla español en Honduras y México. Cuando quería sonaba como un hondureño de pura cepa. En caso de necesidad, cambiaba su registro para adaptar su lenguaje, utilizar el argot y las formas gramaticales para sonar como un mexicano. Hasta hoy no he conocido a nadie que lo hiciera mejor que él. Además, era alguien realmente trabajador. No podía estarse quieto. Hacía el desayuno para todos, lavaba los platos, limpiaba la cocina, barría la carpa médica, organizaba la ropa, mochilas y zapatos, revisaba el nivel de aceite de los camiones, separaba las basuras para reciclar, botaba la basura, compostaba los desechos de los lavabos, rellenaba las bolsas de agua para la ducha o se deslizaba bajo el tráiler para espantar a los mapaches con una escoba. Todo esto antes del mediodía. Hacía más en media hora de lo que cualquier voluntario hacía en un día entero. Debimos haberle pagado por trabajar de esa manera. También le gustaba abrazar a la gente. Me daba un abrazo de buenos días, un abrazo cuando abandonaba el campamento, otro cuando volvía, otro a la hora de comer y uno de buenas noches. Nunca eran demasiados. Nacho era un ser humano realmente bueno. También era muy bajito.

Con todo lo memorables que eran Nacho y Chucho, Don Bigotes era el premio mayor. Tenía 54 años y era más duro que el acero. Nació en Jalisco, había vivido durante 35 años en Estados Unidos, había trabajado por todo el país como instalador de tuberías, operario de maquinaria pesada, de minero bajo tierra, trabajador de campos petrolíferos y ese tipo de trabajo duro. Tenía un bigote tan enorme, tan fiero y tan viril que podía ser únicamente descrito con un título honorífico, y en plural. *Todo el mundo* le llamaba Don Bigotes. Además de parecer el hermano mayor de Pancho Villa, hablaba como él, con un ruidoso gruñido de barítono subrayado por fuertes palabrotas y memorables juegos de palabras. La primera vez que le vi estaba sin camiseta, y me fijé en una herida de bala en la zona lumbar, con un agujero de salida justo en el otro lado.

"Algún pinche güey me disparó en una lavandería en Wyoming", me dijo. "En 1987". Esa era la historia.

El trío había pasado por un auténtico infierno, y habían estado juntos las 24 horas durante semanas. Las dinámicas de su asociación eran hilarantes. Cierta vez, Chucho y yo hablamos de Don Bigotes y el personaje épico que era.

"¿Te ha explicado cuando un tipo, con cuya esposa se estaba acostando, le disparó en la lavandería?", me preguntó Chucho, cuyos ojos brillaban maliciosamente. Se desternilló de risa triunfante cuando le dije que Don Bigotes había omitido ese detalle salaz.

Pero las mejores interacciones se daban entre Nacho y Don Bigotes. A veces Don Bigotes tenía un humor de perros. No le culpo. El país donde había creado un hogar y le rechazó tras haber aceptado su trabajo durante 35 años, le abandonó en el desierto, en Navidad, a 1500 km de su casa y de su familia, al poco tiempo de escapar de la muerte. Su rabia ante esta situación era algo terrible de ver. Para esos momentos, Nacho y Don Bigotes tenían un ritual.

"¡Don Bigotes!", exclamaba Nacho. "¡No estás bien! ¡Estás molesto! ¡Necesitas un abrazo!"

"No, no lo necesito", respondía Don Bigotes, mirando al infinito con sus puños cerrados, parecía que quería asesinar a Dios. "No me abraces, Nacho"

"¡Sí! ¡Sí!¡Lo haré! ¡Te voy a abrazar, Don Bigotes!"

"No me abraces Nacho, no quiero tu abrazo"
"¡Te estoy abrazando, Don Bigotes!"
"Deja de abrazarme, Nacho"
"¡No! ¡No voy a parar, Don Bigotes!"
Y así un buen rato.

Algunas semanas después de que el trío abandonara el campamento, pude saber qué les había ocurrido. Nacho y Don Bigotes fueron separados de Chucho en el desierto. Llegaron juntos a Phoenix. Chucho consiguió salir por su propia cuenta algunos días más tarde. Cuando llegó la furgoneta para recogerle, hizo algo muy sabio. Envió un mensaje a Don Bigotes con el número de la matrícula por el teléfono celular. Cuando la furgoneta llegó al refugio, hizo otra cosa muy inteligente. Envió otro mensaje a Don Bigotes con la dirección del lugar, junto con el nombre y número de teléfono de su contacto. Chucho no era ningún tonto.

Así que cuando los traficantes de personas le quitaron el celular y le dijeron que le golpearían y le abandonarían en el desierto si su familia no aportaba otros 3.000 dólares en 24 horas, Chucho permaneció tranquilo. Sabía que iba a ocurrir a continuación. Cuando Chucho dejó de contestar al teléfono, Don Bigotes llamó al número que Chucho le había enviado, y a continuación esto es lo que le dijo, con su ruidoso gruñido de barítono, sonando exactamente como el hombre más aterrador en la tierra:

"Escúchame, Julio, cabrón de mierda. Te estás confundiendo. Me parece que no entiendes. Tú no me conoces, pero yo a ti sí. Vives en una casa de barro marrón con persianas negras y una puerta azul, al otro lado de la calle de una taquería. Conduces un Chevrolet Silverado de 2006 con un juego de elevación, que tiene una abolladura en la parte trasera izquierda. En mi mano tengo un celular, Julio, pinche hijo de la gran chingada. ¿A quién voy a llamar con este teléfono? ¿Llamaré a la Migra? ¿Llamaré a la policía? Quizá piense en alguien más a quien llamar. Quizá conduzca hasta tu casa para ver qué aspecto tiene tu mujer, o hasta el colegio de tus hijos. Quizá te encuentre cara a cara y quizá te ahogue con mis propias manos hasta que mueras. *Tú* no me vas a decir a *mí* lo que tengo que hacer, Julio, *yo* te voy a decir a *ti* lo que vas a hacer. Dejarás libre a mi amigo Chucho, de lo contrario, ya ves que tengo varias *opciones*".

Dejaron que Chucho saliera por la puerta, y veinte minutos más tarde Don Bigotes le recogió en una estación de servicio en el sur de Phoenix. La última vez que supe algo, Nacho y Don Bigotes plantaban árboles juntos en Texas.

Por malo que parezca esto, no llega a transmitir plenamente la profundidad de la crueldad que ha caracterizado esta época de control patrocinado por el Estado. Las violaciones y agresiones sexuales de migrantes mujeres es absolutamente endémica en todos los pasos del proceso, al igual que lo es en diferentes grados para migrantes transgénero y hombres pequeños y jóvenes. Es algo que ha sido exacerbado por las políticas del gobierno estadounidense: al canalizar el tráfico hacia el medio de la nada, básicamente han garantizado que para que las mujeres y los niños puedan entrar al país deban colocarse en una posición en la que una violación o una agresión sexual es muy probable.

Además, los caminos son frecuentados por grupos de bandidos armados que se ganan la vida orientando sus actuaciones contra los migrantes. Creo que algunos de los bandidos son empleados por los mismos cárteles, robando a sus propios clientes, mientras que otros trabajan solos aprovechándose de las fáciles oportunidades que esa gente indefensa, que a menudo lleva todos sus ahorros en los bolsillos, les brindan. De nuevo, la culpa de que esos cabrones hayan sido bendecidos con circunstancias tan favorables para ejercer su oficio, es del gobierno estadounidense.[46]

Siendo justos, también he escuchado historias de miembros de bajo rango del cártel que se han comportado decente y compasivamente, incluso heroicamente. Vale la pena señalar que los guías, la gente que en la prác-

---

46 El bandidaje contra los migrantes estaba particularmente extendido en la parte estadounidense del sector de Arivaca hasta aproximadamente el año 2010, momento en que alguien (probablemente situado en lo alto de la pirámide social de Sinaloa) lo detuvo. En esa época, un amigo nuestro encontró los cuerpos de tres hombres no lejos de uno de los lugares donde dejábamos agua, atados a sogas alrededor de sus cuellos, balanceándose de un árbol, con notas clavadas en sus pechos, donde se leía: "*Esto es lo que hacemos con los ladrones*". No me sorprendió, las cosas habían llegado hasta ese punto. El bandidaje es actualmente menos común, aunque no tengo dudas de sigue siendo habitual en otras partes de la frontera.

tica camina con los grupos en el desierto hasta el otro lado de los puntos de control, está en el punto más bajo de la estructura en las redes de trata de personas.[47] Sus vidas se consideran casi tan prescindibles como las de los migrantes. Trabajar en el desierto me ha hecho reconocer en cierta medida el hecho de que trabajar de guía tiene que ser algo muy estresante. Su trabajo consiste en llevar grandes grupos de personas a través de ásperos terrenos donde no hay agua potable, normalmente de noche o con un calor extremo, mientras son perseguidos por militares que portan armas y helicópteros. Sus jefes seguramente no sean el tipo de personas con las que quieras tener conflictos. No sorprende, por tanto, que los guías a menudo no deseen arriesgar perder a un grupo entero porque dos personas no puedan seguir el ritmo. La propia situación garantiza que alguien sacará lo peor de sí mismo.

Decir esto no es justificarles, ni absuelve a gente que tiene relativamente poco sentido de su responsabilidad individual cuando hace cosas indefendibles. Solo es por decir que la mayor parte de la culpa la tienen las personas poderosas, cuyas acciones han creado esta pesadilla y quienes se aprovechan más directamente de ella.

47 En el noroeste, los guías suelen proceder de los mismos lugares que los traficantes de marihuana: flacos jóvenes del norte de Sonora. Sin duda en el noreste tiene su equivalente.

Hay guías buenos. Algunos de ellos tienen muchísimo talento. Hemos escuchado varias historias de guías que han hecho todo lo posible para cuidar de la gente del grupo a su cargo, y de guías que han aceptado a rezagados de otros grupos sin beneficiarse económicamente.

Una historia de este tipo ocurrió en 2005. Un grupo de voluntarios se encontró con un grupo de migrantes en el desierto. Uno de ellos cargaba *un cervatillo* en su espalda. "Gracias a Dios", dijo. "Nos hemos encontrado este animalito atado a un árbol. Algún cazador debe haberlo usado como cebo para pumas. No podíamos dejarlo ahí, no habría estado bien. Hemos estado cargando con él durante días. Pero pesa mucho, y no sabemos qué hacer con él cuando nos recojan. No dejarán que lo subamos a la furgoneta. ¿Podrías quedártelo y encontrarle un hogar?"

Personalmente, he encontrado a dos grupos de migrantes que iban acompañados de perros sin dueño, y ambos me pidieron lo mismo. Tanto el cervatillo como los perros fueron llevados a otros lugares. La ironía es que es legal alejar a animales del peligro, pero si lo haces con una persona, te arriesgas a ir a la cárcel.

También hay guías muy malos. Hemos escuchado muchas historias de abuso. "Todo el mundo habla de nosotros como si fuéramos el diablo", me dijo una vez un *burro*. "Algunos de los pinches guías son los verdaderos diablos. Al menos nosotros sabemos en qué nos estamos metiendo. Ellos apalean a la gente, abusan de las mujeres y dejan a criaturas en medio de la nada si no pueden seguir el ritmo. Algunos de esos pinches son escoria humana." Es fácil demonizar a los traficantes, pero el comportamiento de algunos guías va más allá de los límites.

Y luego hay muchos guías que pueden comportarse decente o indecentemente, cruel o compasivamente, heroica o atrozmente, dependiendo de la presión a la que estén sometidos y cómo respondan a ello. A los propios guías se les utiliza o desecha como si fueran llantas.

Con ese fin, permítanme decir algunas palabras más sobre la relación entre los gobiernos y los cárteles: se necesitan el uno al otro. Les mueve la misma lógica y comparten intereses similares.

Quizá sea más preciso distinguir entre las situaciones de Estados Unidos y de México. En Estados Unidos, los cárteles necesitan al gobierno y el gobierno utiliza a los cárteles. Los cárteles confían en que el gobierno estadounidense mantenga los precios de los productos y servicios que ofrecen artificialmente altos, a la vez que el gobierno utiliza a los cárteles para justificar la canalización de miles de millones de dólares a las empresas multinacionales cuyos intereses representan. En el caso de México, como he argumentado previamente, no es realista hablar de gobierno y cárteles como entidades separadas. Aquí el gobierno y los diversos cárteles compiten por el control de los multimillonarios mercados estadounidenses de la droga y la trata de personas.

Los analistas a veces utilizan el término "colombianización" para señalar que el estado de las cosas en México empieza a parecerse mucho al de Colombia. La similitud que quizá sea más espectacular es la crecientemente sofisticada connivencia entre elementos del gobierno y los cárteles con los que están nominalmente en guerra.

A nivel local y estatal, es extremadamente común que todos los cárteles compren a la policía, alcaldes, jueces y a otros representantes estatales. A nivel nacional, hay mucha evidencia de que el ejército mexicano y el gobierno federal favorecen al cártel de Sinaloa (el mayor y más rico del país) con la esperanza de que eventualmente derrotará a sus enemigos y acabe pactando un acuerdo estable con el gobierno, tal como el que se dio en Colombia.

De hecho, hay una buena cantidad de infiltración en las fuerzas armadas mexicanas. Es algo común en el lado estadounidense también, pero menos extendido. Pero en general los acuerdos en ambos lados de la frontera no son tan toscos como para que siempre, o a veces, haya una superposición de personal entre, por ejemplo, el Correction Corporation of America, la Patrulla Fronteriza, el cártel del Golfo y el ejército mexicano. Lo que es más importante, es que todas estas organizaciones tienen intereses entrelazados, se benefician de las actividades de las otras, y generalmente actúan de una forma que mantiene al resto en el negocio. Esta perversa trinidad de gobierno, empresa y crimen organizado (tres formas de referirnos a lo mismo), son un enemigo imponente para cualquiera que tenga la esperanza de ver cómo acabar con la muerte en el desierto.

La Patrulla Fronteriza

Permítanme un par de palabras sobre la Patrulla Fronteriza. No hay ningún trabajo en el gobierno que se pueda obtener sin un diploma de secundaria, cuyo salario sea mejor que el de los agentes de la Patrulla Fronteriza. Por lo general reciben pagos de alrededor de $45,000 el primer año, $55,000 los dos siguientes, y $70,000 después de eso. No se van a morir de hambre.

No sé cómo transmitir el alcance del abuso que he escuchado y que han experimentado los migrantes en manos de estos agentes.[48] "He escuchado de agentes golpeando, abusando sexualmente y disparando, lanzando a la gente a un cactus, robando el dinero de los migrantes, negándoles agua y comida a personas detenidas, deportando menores encontrados sin acompañantes mayores, y conduciendo locamente con migrantes atados en la parte de atrás de los camiones, los cuales parecen inconfundiblemente vehículos de transporte de animales, por no mencionar el robo a traficantes y otras muestras de su implicación extensiva en el narcotráfico.

48 Ver los informes sobre abusos Crossing the Line (Cruzando la Línea) de 2008, A Culture of Cruelty (Una Cultura de Crueldad) de 2011, Post-deportation Health (Salud Post-deportación) de 2012 y Shakedown (Chantaje) de 2014 de No Más MuertesNo Más Muertes para más información.

Estábamos en lo profundo de las montañas cerca de la frontera. Éramos siete. Ya estaba entrada la tarde y habíamos caminado todo el día. Estábamos en un profundo arroyuelo, acercándonos a un sendero de migrantes muy utilizado, cuando alguien nos gritó desde arriba de la colina encima de nosotros. "¡HEY! ¡HEY!" Tres personas bajaron corriendo de la colina a toda velocidad cortando a través de plantas de uñas de gato y cactus, y saltaron al agua. Había un hombre mayor, uno joven y una joven cuyas piernas estaban cubiertas de costras medio secas y heridas sangrando. El hombre mayor sacó una biblia de su bolsillo y la tiró abierta sobre una gran roca frente a mí. "¡FILIPENSES CUATRO-TRECE!" dijo, en inglés, señaló. "¡PUEDO HACER CUALQUIER COSA A TRAVÉS DEL PODER DE CRISTO QUE ME FORTALECE!"

"¿Qué?"

Dijeron todos al tiempo: "¡Había perros enormes!" "¡Estaban mordiendo a la gente!" "¡Los tiraban al suelo y los mordían!" "¡Ellos gritaban y los perros los mordían!"

"¿Qué? ¡Esperen! ¿Qué?" dije.

"Había unos treinta de nosotros", explicaba la joven en perfecto inglés. "La Migra estaba esperando que pasáramos por ahí. Tenían perros. Nos atacaron con los perros. Los perros mordían a la gente, la tiraban al suelo y la mordían. La gente gritaba, sangraba y corría para todos lados. Nosotros corrimos por la montaña. Nos gritaron para que nos detuviéramos pero seguimos corriendo. No sé si alguien más se libró."

"¿Cuándo pasó esto?" le pregunté.

U.S. CUSTOMS
BORDER PROTECTION
BUCK
GERBER

"Hace diez minutos"

"¡Diez minutos!"

"Sí, diez o quince." Los hombres asintieron con la cabeza.

"Nos tenemos que largar de aquí."

"Sí," afirmó ella.

Nosotros diez corrimos a través de las montañas. El hombre mayor de vez en cuando empezaba a cantar, a veces Madonna, a veces Beyoncé, pero por lo general Shakira. "¡I'm on tonight! ¡Tú sabes que mis caderas no mienten!" Él paraba periódicamente para demostrar la veracidad de esta declaración. "Sabes, ¡Shakira! ¡Cantar ayuda!" Pasamos por un santuario donde otros migrantes habían dejado velas, pulseras, rosarios y ofrendas a la Virgen de Guadalupe. El joven se arrodilló, se santiguó y oró, casi sin detener el paso. Dos horas después, nos detuvimos a un lado del cañón y cubrimos algunas de las heridas de la joven.

"¿Cuántos años tienes?", pregunté.

"Quince. He vivido en Oregón desde que tengo dos. Me metí en problemas. ¿Qué voy a hacer en México? Nunca he vivido allí. No conozco a nadie en México. No he podido hablar con mi mamá desde que me deportaron. Solo me queda intentar esto hasta lograrlo."

"Ella es muy fuerte", dijo el joven.

"En lo que a mí respecta," dijo el hombre mayor, "realmente no me importa. Cuando estoy en México vivo en la calle. Vengo aquí y vivo en la calle. Me da igual."

"Él es un buen hombre," dijo la joven. "Estábamos con una mujer a la que le costaba mucho mantener el ritmo. Él cargó el bolso de la mujer, nos contaba chistes y nos cantaba."

Volvimos a parar en la oscuridad. Comieron y comieron, y el hombre mayor contaba historias. "Vamos a seguir," me dijo el joven. "Dormiremos un poco y nos iremos cuando salga la luna."

"Es un camino muy largo y es fácil perderse," le dije. "¿Sabes cómo llegar?"

"Sé bien cómo llegar," dijo. Hablamos de las montañas y puedo decir que él decía la verdad.

"¿Quieres llamar a tu mamá?" le pregunté a la joven.

"No, solo se preocuparía. La llamaré cuando lo logre."

No sé qué les pasó. Unos días más tarde, apareció un pequeño artículo en el periódico de Nogales sobre un gran grupo de migrantes que fueron deportados con heridas de mordeduras de perros y necesitaron tratamiento del lado mexicano.

La Patrulla Fronteriza es un negocio lucrativo en sí mismo y parte de ese negocio consiste en exagerar el peligro del trabajo para poder sacarle más dinero a los contribuyentes. En mi experiencia, el personal de la fuerza pública en general considera que su trabajo es realmente peligroso, creen que el mundo les debe gratitud y un gran cheque. Desde el inicio de la institución en 1904, 122 agentes de la Patrulla Fronteriza han muerto en servicio, 40 de los cuales fueron víctimas de asesinato.

En 2015, de 20,000 agentes, ninguno perdió la vida en el cumplimiento del deber. Es imposible saber cuántos migrantes mueren cruzando la frontera cada año, pero la respuesta podría estar entre cientos y miles. Si contrastas las cifras, verás que los agentes de la Patrulla Fronteriza están más a salvo que los trabajadores de techos, de saneamiento, conductores de camiones, trabajadores sexuales y cualquier colectivo de personas cuyos trabajos son realmente peligrosos.

Otra cosa que te dirá cualquier agente de la Patrulla Fronteriza que se respete, es que nos están protegiendo de los terroristas. Esto plantea la pregunta de quién es "nosotros." Más seres humanos han perdido la vida en el desierto como resultado directo de la actividad de la Patrulla Fronteriza que en todos los ataques combinados de ISIS y Al-Qaeda en suelo estadounidense, y probablemente más de los que habrían muerto, incluso si cada ataque frustrado de la Patrulla Fronteriza hubiera sido exitoso. El punto más importante es que mientras exista una desigualdad global tan indignante, los estadounidenses nunca estarán completamente a salvo.

Muchos agentes de la Patrulla Fronteriza son de clase trabajadora; muchos son latinos. Para ser justo, reconozco que he conocido a algunos que tratan a los migrantes con respeto. También concedo que en ocasiones encuentran a gente en peligro, que algunas de esas personas seguramente hubieran muerto de no haber sido así y que algunos agentes pueden ser agradables. La cuestión es que son los agentes de la Patrulla Fronteriza de más bajo rango los que hacen cumplir las políticas que causan todos los problemas que estoy describiendo. No importa qué hagan individualmente, nunca serán parte de la solución mientras vistan un uniforme, porten una arma y obedezcan órdenes. Ellos podrían sacar a los cárteles del negocio y poner fin a la muerte en el desierto mañana solo yéndose a casa.

He escuchado muchas palabras que excusan a la Patrulla Fronteriza: no son el enemigo, están sujetos a las mismas fuerzas económicas que los migrantes, y así sucesivamente. No lo creo. La historia está repleta de ejemplos de personas dispuestas a vender a su propia gente para salvarse. Hubo tratantes negros de esclavos en las plantaciones, policía judía en el gueto, exploradores indígenas dirigiendo el ejército después de Caballo Loco, y ahora hay agentes latinos de la Patrulla Fronteriza en el desierto. Lo siento, pero no me sorprende. Pienso que cuando la gente se convierte en cómplice de atrocidades, simplemente no merece mucha simpatía.

Recientemente, un amigo encontró el cuerpo de una mujer que murió por una combinación de deshidratación, enfermedad, exposición a la intemperie y fatiga, a un cuarto de milla de uno de nuestros más grandes puntos de suministros, un lugar en el que personalmente he trabajado varios cientos de veces. Ella había pasado por un área donde durante meses, unos agentes de la Patrulla Fronteriza, particularmente hostiles, constantemente habían cortado nuestras botellas de agua, abierto las latas de frijoles para que quedaran rancios y quitado las mantas que dejábamos en los senderos. Como resultado de estas actividades, regularmente hemos tenido que retirar estas latas y evitar dejarlas en lugares que de no ser por el accionar de algunos agentes de la Patrulla Fronteriza, serían

excelentes ubicaciones. Creo que es posible que antes de que esta mujer muriera, pasara por un punto donde las cosas no estaban en buen estado, o un lugar donde habría un punto de no ser por las acciones de estos agentes. Creo que es muy probable que si ella hubiese dado con nuestros suministros, habría sobrevivido lo suficiente para que la pudiéramos encontrar.

En lo que a mí respecta, las personas que hacen esto son asesinos y la sangre de esta mujer está en las manos de esos agentes.[49]

> "Nadie en el mundo, en la historia, ha obtenido su libertad apelando al sentido moral de las personas que le oprimen."
>
> *-Assata Shakur*

Los agentes de la Patrulla Fronteriza se asustan mucho, incluso ahora mismo que no tienen mucho de qué preocuparse. Está escrito en sus caras. Supongo que es lo que te pasa si destruyes las vidas de las personas para vivir. "Hay pocas cosas bajo el cielo más desconcertantes que el silencioso y acumulado odio de un pueblo," como dijo James Baldwin. Personalmente, me encanta poder ir sin

---

49 Para más información, ver el informe sobre abusos Disappeared: How the US Border Enforcement Agencies Are Fueling a Missing Person Crisis, (Desaparecidos: Cómo las agencias de la fuerza pública en la frontera de Estados Unidos están alimentando una Crisis de Personas Desaparecidas) lanzado en 2016 por Derechos Humanos y No Más Muertes.

armas a diario a lugares a los que gente con armas automáticas y chalecos antibalas se aterra de poner un pie. No me he convertido en enemigo de la gente y en el largo plazo eso es lo que va a mantenerme más seguro que ellos.

En 2012, atrapamos con las manos en la masa a la Patrulla Fronteriza destruyendo recursos que habíamos dejado para migrantes en peligro. Al final nos ingeniamos algo para combatir esto: empezamos a esconder cámaras en lugares donde sabíamos que podrían destruir suministros. En cuestión de días, tuvimos un video de una sonriente agente rubia de la Patrulla Fronteriza pateando una fila de botellas de agua en medio del verano, y además, de otro usando un epíteto racial. El epíteto era *tonk*, del vocabulario cotidiano dentro de la Patrulla Fronteriza para referirse a los migrantes; la palabra se deriva del sonido que hace una linterna cuando la usas para golpear a alguien en la cabeza.

La grabación se emitió en el programa de PBS "Need to Know" (Necesitas Saberlo), y circuló ampliamente en Internet. El gobierno se veía *mal.* No ayudó a los esfuerzos de la administración para complacer al voto latino previo a las elecciones presidenciales de 2012, y alguien de arriba en la cadena alimenticia le dijo a los agentes en el campo que se detuvieran. Esta simple acción nos costó $75 y condujo a una disminución marcada de estas acciones con la comida y el agua en el sector de Arivaca, que duró hasta después de las elecciones.

Este episodio mostró una evidencia, que también se podria aplicar a quienes tratan de evitar que la policía mate personas negras: solo los efectos negativos servirán con esta gente. Si matar personas no tiene ningún impacto negativo en el bienestar personal de los integrantes, la policía seguirán haciéndolo. Cambiar el comportamiento de la aplicación de la ley significa encontrar una forma de ejercer suficiente influencia para provocar estas consecuencias. Nosotros lo hicimos de una forma, los jóvenes de Ferguson de otra.

Lo que es bueno para el ganso es bueno para la gansa: la disuasión es una calle de dos vías. También: *las colinas tienen ojos, cobardes.*

El juego

Es razonable odiar a todas las personas involucradas en el negocio de la trata de personas de ambos lados de la ley y la frontera. La gente en la parte inferior de la pirámide social por lo general acaba haciendo el trabajo más sucio. "Ama al soldado, odia la guerra" como dice el dicho; "Ama al jugador, odia el juego". Es difícil de decir. ¿Ama al pecador; odia al pecado? No lo sé.

El joven de Sonora que deja morir a la joven hondureña en el desierto es un peón negro. El agente de la Patrulla Fronteriza que dispersa al grupo de este joven y lo pone en esta posición es un caballo blanco. Conoces la metáfora. Ellos son responsables por sus acciones, pero alguien más preparó el tablero.

Hay un juego más allá del juego y está claro quién está ganando. Los jugadores no tienen que sentarse en la misma mesa; juegan en las manos del otro.

Trabajé en el desierto durante siete años. Los Minutemen no tenían compasión, visión ni alma, pero de alguna manera tenían razón: si el gobierno quisiera acabar con el narcotráfico y la trata de personas en la frontera, probablemente podría. No lo harán. Hay demasiado dinero en juego: políticos estadounidenses y mexicanos, la Patrulla Fronteriza, los cárteles, la policía local, estatal y federal, la seguridad privada, DEA, FBI y equipos SWAT, bancos, empresarios, prestamistas, abogados, defensores públicos, fiscales, jueces, tribunales, cárceles de condado, prisiones estatales federales y privadas, fabricantes de armas y constructores de torres y muros. Una completa estructura de vigilancia; el eterno negocio de la guerra; el Estado corporativo. Todo es una farsa enferma. Ellos nunca cortarán la cabeza de la gallina de los huevos de oro. No apuestes por ello. Me harté de jugar con ellos sus propios juegos.

El desierto

El Desierto está lleno de basura. Botellas de agua, latas, envolturas de alimentos, mochilas, mantas, zapatos, calcetines, pantalones, camisas, gorras, toallas higiénicas, papel sanitario... debe haber cientos de millones de toneladas de cosas. A los provocadores anti-inmigrantes les encanta hablar de esto. No porque se preocupen por el medio ambiente, sino porque esperan confundir a la gente que simpatiza con los migrantes. Es como Bush y su interés repentino por las mujeres de la sociedad afgana en 2001. No escuchas a estas personas hablar mucho del muro fronterizo obstaculizando los patrones de migración de la vida silvestre, o de las enormes franjas de tierras públicas que son alquiladas por el gobierno a gigantes compañías mineras y ganaderas por una miseria, o sobre la disminución de la cuenca hídrica como consecuencia de la ganadería y la expansión urbana.

A diferencia de estos personajes, a mí realmente me importa el desierto y he hecho mi mejor esfuerzo para limpiarlo. He arrastrado innumerables camiones de basura fuera de allí, lo que es más de lo que casi nadie del lado opuesto puede decir. Le digo a los nuevos voluntarios que tan pronto recogen su primera botella, hacen más por enfrentar el problema que lo que el 99.99% de los agentes de la Patrulla Fronteriza, oficiales de Peces y Vida Silvestre, integrantes de la milicia y los cómodos sabiondos de derecha que solo ven televisión hacen o harán. La militarización fronteriza ha llevado al tráfico de migrantes al desierto y, en consecuencia, lo está destrozando. Si no

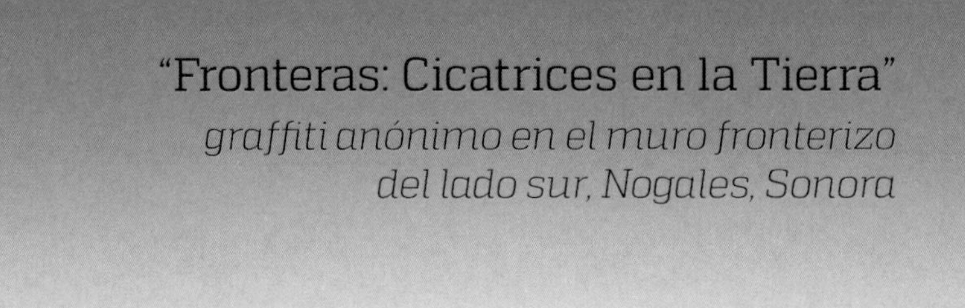

"Fronteras: Cicatrices en la Tierra"

graffiti anónimo en el muro fronterizo del lado sur, Nogales, Sonora

te gusta, entonces necesitamos encontrar una forma para detener la militarización fronteriza.

No hay otro lugar en la tierra como el desierto de Sonora. Es más hermoso de lo que puedo decir: salvaje, duro, vasto, montañoso, remoto, agreste, implacable, todo lo que se te ocurra y más. Muchas veces en las que me sentí débil, como si fuera a perder la cabeza, busqué a los habitantes del desierto para que me dieran fuerza: el venado, la liebre, el ratón canguro, chinches, tarántulas, tortugas, serpientes de cascabel, mapaches, colas anilladas, el coatí, el antílope, el jabalí,[50] el cuervo, el buitre, el águila, el coyote, el puma, la pantera, ocotillos, nopales, biznagas, chollas, saguaros, e incluso algunas vacas, perros, gatos y personas. Podría encontrar nuestro campamento desde cualquier punto entre el Bavoquivaris y las Atascosas a pie, de memoria, cada vez, sin fallar. Me situé entre esas montañas durante una temporada de mi vida.

El desierto tiene muchos lugares que son sagrados para mí. Ahí está el último lugar en el que vi a Esteban,

---

50 Un comentario sobre el jabalí. Tienen crestas, un aroma almizclado, colmillos afilados que sobresalen de sus rostros; viven en extensos grupos matrilineales, crían a los pequeños de los demás, son peligrosos cuando se les arrincona, parecen actuar por consenso, y comerán cualquier cosa que no esté clavada al suelo. Son los punks del desierto. Incluso donde todo parece grave, ellos parecen tener todo resuelto en la vida.

el lugar donde encontré a Alberto, los lugares donde murieron Claudia y José y Susana y Roberto. La piedra de Jaime, el cerro de Yolanda y el árbol de Alfredo. Me abruma pensar que, a pesar de todas las historias que conozco, tantas como cualquiera, no son más que una gota en el mar de historias que ahí han ocurrido. Los objetos personales que la gente va abandonando en el camino me las recuerdan constantemente, una manifestación palpable de las mejores cualidades, y de las peores, de la raza humana. No me considero una persona espiritual pero el valor de los efectos abandonados es inmenso y a veces oprime.

Yo amo el desierto. Me rompe el corazón que sea el escenario de tanto sufrimiento. Me consuela un poco saber que algún día, aunque sea solamente porque no haya más seres humanos en el planeta, no habrá más Estados Unidos, ni México, ni helicópteros, ni muros, ni Patrulla Fronteriza, ni frontera. El plástico se descompondrá, la memoria de estas cosas desaparecerá y la tierra al fin tendrá una oportunidad para sanar bajo el inmenso cielo azul y el sol implacable.

"¡Todavía no han escuchado nuestro trueno!"

-lema de una protesta contra SB1070, Tucson, Arizona, 2010

NIÑOS
¿CUANTOS MAS?
PADRES Y MADRES

Inmigrantes

Las élites corporativas, gubernamentales y criminales que se benefician del sufrimiento en la frontera son despiadadas y poderosas, pero no son dioses. No son los únicos actores de este drama y no tienen toda la situación bajo control. Las personas van por el desierto porque son valientes y hábiles, no solo porque la Patrulla Fronteriza los deje. Los senderos en sí mismos son testamentos extraordinarios del ingenio humano, que se tejen con gracia a través de los cañones y sobre las montañas con un ojo infalible para la dirección y el refugio.

Hay casi doce millones de personas indocumentadas en este país. Trabajar en el desierto ha puesto de relieve para mí que no todos son iguales. Los migrantes no son todos ángeles, ni demonios, ni víctimas. No son objetos pasivos que dejan que el mundo actúe por ellos, sin actuar en absoluto. Son individuos complejos que han escogido poner su vida en sus propias manos, y yo he decidido estar de su lado lo mejor que pueda. A veces funciona, a veces no. A veces vences al sistema, y a veces el sistema te vence.

Estábamos caminando por un pequeño cañón. Uno de mis compañeros estaba haciendo una llamada ruidosa y algo florida: "¡COMPAÑERAS! ¡COMPAÑEROS! ¡NO TENGAN MIEDO! ¡TENEMOS AGUA,

COMIDA, Y MEDICAMENTOS! ¡SOMOS AMIGOS! ¡NO SOMOS LA MIGRA! ¡ESTAMOS AQUÍ PARA AYUDARLES! ¡SI NECESITAN CUALQUIER COSA: GRITEN!" La inmensa mayoría de las veces, no hay nadie que escuche estos llamados.

Doblamos una esquina en el cañón y había cerca de treinta y cinco personas: hombres, mujeres, niños, jóvenes, vestidos de negro y marrón, y con la piel tostada, en completo silencio y ocupando muy poco espacio. "¡Mierda, Uh!, ¿nos escucharon venir?"

"Sí, los escuchamos". Hacía mucho calor. Les dimos un montón de agua, alimentos, calcetines y tratamos un buen número de ampollas y esguinces de tobillo. Todos eran de Guatemala. Dijeron que habían hecho juntos cada paso del camino. Mientras nos preparábamos para separarnos, uno de ellos nos dio una gran bolsa de dinero, pesos, quetzales y dólares.

"Eh, no, tú no entiendes, no tienes que darnos dinero, para esto es que estamos aquí."

"No, eres tú quien no entiende," dijo. "Encontramos este dinero en un santuario en el desierto. Decidimos que no estaba haciendo nada bueno para nadie allí, así que lo tomamos. Si la Migra nos atrapa nos lo quitarán y nunca hará nada bueno por nadie. Queremos que tomen este dinero y lo usen para ayudar a otros migrantes." Llevamos a cabo sus deseos.

La frontera no termina en la frontera y las dificultadas que las personas indocumentadas enfrentan no se frenan allí tampoco. La frontera corta por cada ciudad y cada estado; corta a través de muchos de nuestros cuerpos. La línea en la arena tampoco hace parte del primero ni del último giro de la máquina para picar carne que el capitalismo global ha preparado para personas sin documentos.

Tras cruzar la frontera, las personas indocumentadas entran en un mundo en el que no pueden ganar dinero legalmente. Tienen convincentes razones para no llamar a una ambulancia, ir a un hospital, obtener un seguro médico o un seguro para un vehículo, conducir un automóvil, abrir una cuenta bancaria, usar una tarjeta de crédito, solicitar una hipoteca, firmar un contrato de arrendamiento o confiar en cualquier número de otras opciones a las que la gente con ciudadanía puede recurrir. Si por alguna razón has intentado vivir una parte de tu vida fuera de los libros, podrás ser capaz de apreciar cuán difícil es hacerlo a tiempo completo en esta sociedad.

La expresión más elocuente en el léxico de la migración en Norteamérica es pollo. Evito ese concepto como la peste, pero es ampliamente usado por todos los involucrados en la industria de la trata de personas en ambos lados de la ley y la frontera, de arriba a abajo. Las personas indocumentadas son "pollos", carne que camina. Es perfecto. Si los traficantes de marihuana son usados como bestias de carga, los migrantes y los refugiados son conducidos como ganado al matadero. Todos son cazados como caza silvestre.

Sin embargo, las personas no serán tratadas como animales. De hecho, los animales no serían tratados como animales tampoco, no si pudieran evitarlo. Cualquiera que haya tenido que razonar con una terca mula, o huir de un toro enojado puede dar testimonio de esto.

Las personas indocumentadas son, en efecto, las víctimas de esta historia, pero también son los vencedores. Están sujetos a fuerzas más allá de su control, pero también son sujetos de la historia.

Para millones de personas en todo el mundo, la inmigración ilegal es una forma legítima de resistencia a las desigualdades del capitalismo global. Es la acción más eficaz que muchas personas pueden tomar para cambiar las condiciones en las que viven. Puede ser resistencia indirecta, pero da resultado en dos formas concretas.

La primera es efectiva económicamente. Las remesas que los trabajadores inmigrantes en Estados Unidos, (muchos de ellos indocumentados) envían a sus familias en México fueron de más de 24,8 mil millones de dólares solo en 2015, más 6,25 mil millones de los guatemaltecos, 4,28 mil millones de los salvadoreños, y 3,4 mil millones de los hondureños. Si sumas todas las remesas que los trabajadores inmigrantes en el norte global envían a sus familias en todo el sur global, el total empieza a ser bastante significativo. Se filtra a través de una delgada pantalla de trabajo y explotación; pero en todo caso, este dinero representa una de las redistribuciones de riqueza de los ricos a los pobres más grande en el curso de la historia humana. Esto es algo importante aquí y ahora.

La segunda, es efectiva demográficamente. La inmigración del sur al norte, mucha de ella ilegal, está provocando cambios demográficos reales en partes del norte global y particularmente en Estados Unidos. Este movimiento puede causar cambios significativos dentro de este país, que podría contribuir a una reestructuración más equitativa del sistema económico mundial, que mitigaría la enorme disparidad de riqueza entre el norte y el sur, que es lo que impulsa la migración en primer lugar.

Pero no está nada claro que esta última esperanza tenga éxito. Generaciones de inmigrantes han pasado de los márgenes a las cúspides de la sociedad estadounidense sin cambiar profundamente su carácter. De hecho, fue exactamente así cómo los colonos tomaron el control de la tierra para empezar. Sin embargo, una característica distintiva de la historia estadounidense es que este camino se ha reservado generalmente para inmigrantes de ascendencia europea. No se ha probado todavía que este país pueda asimilar o segregar la afluencia actual de inmigrantes no-europeos sin socavar eventualmente los cimientos del supremacismo blanco sobre el que se ha construido.

Recibimos una llamada de nuestros vecinos. Un hombre se había arrastrado hasta su puerta. Él estaba en un estado terrible. Apenas podía hablar o mantenerse en pie. No había comido ni bebido agua por tres días y no había orinado en un día y medio. Habíamos tenido un calor mortal esos días. Tratamos de darle líquidos, pero siempre vomitaba de inmediato.

"Esto está muy mal," le dije. "Necesitas una intravenosa. No la tenemos aquí. Puedes tener daño renal.

No podemos tratarlo. Necesitas ir al hospital. Te van a deportar después de que recibas tratamiento, pero si no lo recibes me temo que podrías morir".

"No," dijo. "No los llames."

"Por favor, yo entiendo, pero..."

"No. No los llames."

"Pero..."

"No." Lo acostamos. Tras varias horas, se las arregló para retener una pequeña cantidad de agua. Lo cuidamos por la noche lo mejor que pudimos, dándole agua casi cada hora. Por la mañana, fue capaz de retener líquidos sin vomitar, y al final pudo orinar un poco. Apenas podía sentarse, pero pudo hablar otra vez.

"Nunca había visto que alguien tan enfermo se negara a ir al hospital," dije. "¿Qué te pasó?".

"Viví en Estados Unidos por dieciocho años," nos contó. "Nunca tuve ningún problema. Ni siquiera una infracción de tránsito. Mi esposa y yo finalmente acabamos de pagar nuestra casa. Mis hijos están allá. Mis nietos también. Yo trabajaba cuidando personas mayores. Hace seis meses, tuve un accidente y me rompí la espalda. Estuve casi cuatro meses en cama. Volví a trabajar y me detuvieron. El policía dijo que yo no había utilizado mi señal de girar. Había estado allí por dieciocho años y nunca me habían detenido ni una sola vez. Siempre fui muy cuidadoso. Me enviaron a un centro de detención. Me tuvieron allí por quince días, con mis manos y mis pies encadenados. Nos daban de comer galletas con mantequilla de maní tres veces al día. Permanecí encadenado todo el tiempo. Me dejaron a lo largo de la frontera sin nada. No tenía dónde

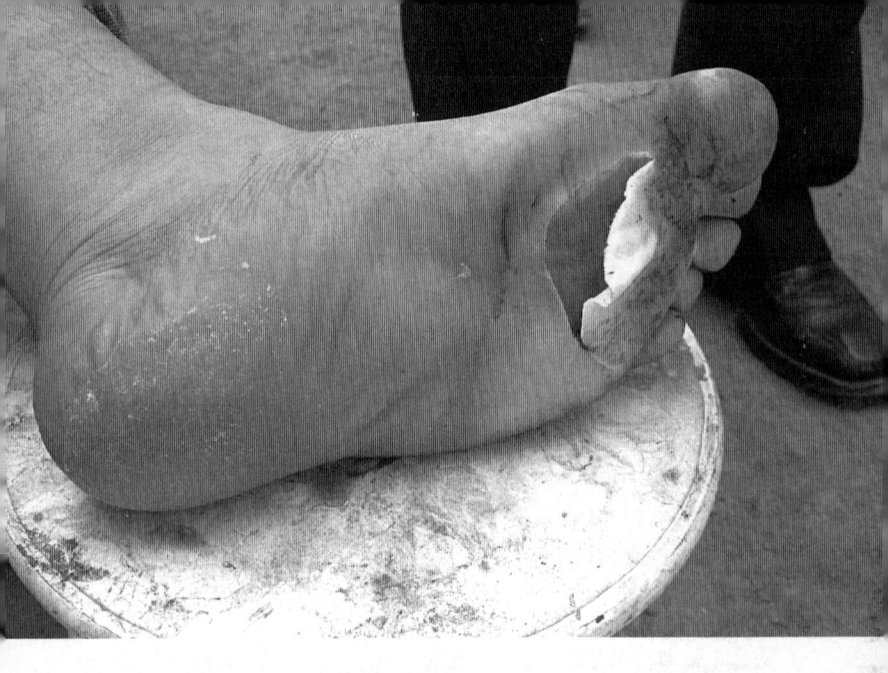

ir. No había estado allí en mucho tiempo. Salí con un grupo esa noche. Nos condujeron hacia el desierto. Caminamos por tres días. Yo no podía seguir. Ya no soy un jovencito. Me dejaron allí sin comida ni agua. Estuve por mi cuenta tres días más. No tenía idea de dónde estaba. Bebí agua sucia de un estanque de ganado y me enfermé más. Estaba oyendo voces y viendo cosas. Cuando vi la casa allí, no sabía si era real o no. Yo seguí caminando hacia ella. Pensé que ya podría haber muerto. No puedo hacer esto otra vez. Toda mi vida está allí. No hay nada para mí en este mundo si no puedo recuperarla. Si muero, moriré. Esta es mi única oportunidad. Tengo que seguir intentándolo."

Se recuperó lentamente. Él nos llamó de su casa una semana después de haber partido. Un mes más tarde, él y su esposa nos enviaron un paquete enorme de zapatos, comida y ropa para dársela a otros migrantes. "Casi nunca salgo", dijo. "No puedo arriesgarme a que me deporten otra vez. Sufrí mucho allí. Sigo recuperándome. Sé que no podría volver a hacerlo."

Ciudadanos

El inminente cambio demográfico en los Estados Unidos está causando una ansiedad tremenda a algunos estadounidenses poderosos, como también a muchos con menos poder, que no han pensado a fondo en sus ramificaciones. En lo que a mí respecta, cuánto antes llegue, mejor. En mi opinión, incluso una erradicación parcial de la supremacía blanca en los Estados Unidos interesa, a largo plazo, a la mayoría de estadounidenses "blancos" como yo.

Puedes construir un trono con bayonetas, pero no podrás sentarte mucho tiempo en él.

Aparte del hecho de que subyugar a otras personas es algo horrible, no es una manera muy segura para vivir. Es sorprendente cómo las personas negras en Estados Unidos lograron liberarse de la esclavitud y de las leyes de segregación racial de Jim Crow sin recurrir a una matanza indiscriminada de gente blanca a gran escala. Ciertamente habría sido comprensible hacerlo, y posiblemente podría haber estado justificado. Sospecho que las cosas pudieron haber sido mucho más feas, de no ser porque hubo al menos unas pocas personas blancas dispuestas a hacer lo correcto. No sé si quiero apostar que las miles de millones de personas oprimidas alrededor del mundo se inhibirán cuando llegue el momento de pagar los platos rotos a nivel global. Parece mejor unirse al lado victorioso mientras haya tiempo.[51]

En cualquier caso, el tren se está descarrilando. Vivimos en el mismo pequeño planeta como todos los demás. La forma de vida que hemos heredado ha demostrado ser desastrosa para la biósfera y para las perspectivas a largo plazo de la supervivencia humana. Mi generación es tal vez el primer grupo de estadounidenses blancos que no solo tiene una determinación ética para apartarse de este camino, sino un interés urgente en hacerlo. Si no hacemos algo, el sistema actual seguramente canibalizará lo que queda de nuestra tierra en el transcurso de nuestras vidas, y dejará a nuestros hijos en los huesos.[52]

Es cierto que esto es complicado. Grupos humanos han subyugado a otros grupos humanos y destruido sus tierras desde antes que la construcción social de "lo blanco" existiera, y las personas de ascendencia europea no son las únicas capaces de hacer estas cosas. La supremacía blanca no es el único eje que sostiene todo esto, pero

---

51 "Ahora estoy completamente seguro de que los crímenes de esta tierra culpable nunca serán purgados más que con sangre. Pensaba como ahora halagándome vanamente que podría lograrse sin un gran derramamiento de sangre." -John Brown, en su camino al patíbulo. 2 de diciembre de 1859.

52 "Es un hecho escrito que nuestra gente había advertido de todas las consecuencias del errático comportamiento ambiental desde nuestro primer contacto con los no-indios. Hubo un tiempo en que nuestros mayores solían decirnos: 'No puedes funcionar con un pie en la canoa del hombre blanco y otro en la del indio.' Con estas preocupaciones ambientales extremas teniendo lugar en la tierra, la humanidad está toda en el mismo bote. O más le vale estarlo." -Leonard Peltier.

es uno importante. En este punto, no creo que podamos esperar detener la devastación de nuestro planeta sin cuestionar las estructuras de la supremacía blanca, o viceversa.

Así que la respuesta no es que los estadounidenses blancos sigan defendiendo lo indefendible por el precio de nuestras almas, ni arrastrarse a un agujero y morir. Es para que quienes encajan en esa descripción piensen en dónde reside nuestra lealtad y encuentren formas materialmente significativas de actuar. Hay ejemplos a lo largo de la historia de gente que lo hizo, integrantes de los grupos opresores y colonizadores que decidieron apostar por los oprimidos y colonizados. Por ejemplo, las personas blancas involucradas en el Ferrocarril de la Libertad durante la esclavitud, gentiles que albergaron judíos durante el holocausto, estadounidenses blancos que participaron en el movimiento de los derechos civiles, sudafricanos blancos que resistieron al apartheid, estadounidenses en el movimiento Sanctuary durante las guerras de Centroamérica en los años 80 e israelíes resistiendo a la ocupación de Palestina hoy, por nombrar unos pocos. Es una gran historia para ser parte de ella. Aquellos de nosotros en posición de hacerlo deberíamos aceptarla y estar orgullosos de ella.

Nuestros adversarios nos llamarán traidores, como si apoyáramos a otro gobierno. De hecho, hemos comprometido nuestra lealtad a algo más antiguo y más sabio de lo que cualquier Estado-nación tenga para ofrecer, y son quienes defienden el orden actual los que han dado la espalda y perdido el rumbo.[53]

Trabajar en la frontera me ha mostrado una y otra vez que no puedes extraer una parte de la ecuación de todas las otras partes. Tan pronto empieza a desenredarse el hilo, verás que está atado a un nudo envuelto alrededor de tu propio cuello. La guerra contra el narcotráfico no terminará sin un cambio estructural en México, lo que no ocurrirá sin un cambio estructural en Colombia y otros países productores de cocaína, que no ocurrirá sin un cambio estructural en Estados Unidos, y así sucesivamente. Puedes invertir el orden de estas afirmaciones o añadir otras y seguirán siendo veraces. Así, por ejemplo, luchar contra la deportación interna y la militarización fronteriza no son dos cosas distintas.

Esto tiene implicaciones globales, pero es particularmente cierto en el caso de México, Estados Unidos y su

---

53 "Nunca he perdido de vista el potencial humano de la gente. Esto reside en el corazón de lo que me motiva: mi intención, mi propósito, mis metas, mis valores, aquí es donde están. Es mi compromiso. Esto es lo que teme el gobierno. Que no volví a esa fábrica a hacer tacones de zapatos, que tomé otro rumbo con mi vida. Tengo un compromiso con un futuro que sostiene el potencial humano de las personas pobres y trabajadoras como un gran activo a desarrollar. Un compromiso con un futuro en el que ningún niño tenga que sufrir el racismo, la pobreza o la guerra. Un futuro en el que la justicia traiga paz a nuestros hijos y a las generaciones venideras." Raymond Luc Levasseur, enfrentado a una cadena perpetua en sus comentarios finales al jurado, Corte de Estados Unidos, Springfield, Massachusetts, 10 de enero de 1989. Ver el documental An American (Un Americano), de Pierre Marier.

hijo-demonio: La Frontera. Nada mejorará en la frontera sin cambios en ambos países, y los problemas de un país no se resolverán sin abordar los problemas del otro.

Una vez, le pregunté a un joven de Oaxaca qué pensaba que podría poner fin a la muerte en el desierto. "Una revolución binacional," respondió, sin vacilar. Nos reímos, porque eso es imposible. Por ahora.

A veces los nuevos voluntarios me preguntan cómo pienso que sería una política justa en la frontera. Les digo que no existe tal cosa; es una contradicción de conceptos. No me interesa ayudar a las autoridades a resolver el desastre que han creado. A la larga, la única esperanza de una solución a la crisis fronteriza reside en lograr un cambio mundial de sistema que asegure la libertad de movimiento a todas las personas, rechace la práctica del control estatal sobre el territorio, honre la autonomía y la soberanía indígena, se ocupe de los legados de la esclavitud y la colonización, iguale el acceso a recursos entre el sur y el norte global, y fundamentalmente en cambios en las relaciones de la especie humana con el planeta y todas las formas de vida que lo habitan. ¡Es una tarea difícil! ¿Dónde empezar?

El desierto no es el único lugar, pero es uno de ellos. La fuerza de nuestro trabajo está en que no hay duda de que estamos teniendo un efecto tangible en las vidas de las personas que encuentran nuestra comida, nuestra agua, o a nosotros. Conozco muchas personas que estoy seguro habrían muerto de no ser por los recursos que ofrecemos y muchas más que de no ser por nosotros no habrían podido reunirse con sus familias. No digo esto para darme palmaditas en la espalda, sino para decir que es posible empezar en algún lado.

"Las paredes vueltas de lado son puentes."

-graffiti que cita a Angela Davis en el sur del muro fronterizo, Nogales, Sonora

La gente a veces se lamenta por el hecho de que siente que solo somos una tirita en una herida inmensa. Esta palabra siempre me exaspera, porque los riesgos son demasiado altos y la metáfora no tiene la fuerza suficiente. Una vida significa mucho para la persona que la vive. Un "torniquete," les digo. "¿Dices que no quieres que sirvamos como un torniquete?".

Sin embargo, la debilidad de nuestro trabajo es que siempre estamos lidiando con los síntomas y nunca con la causa. Puedo sentir que siempre estamos limpiando un desastre que no creamos, como un niño tratando de reparar el daño causado por un padre abusivo con el resto de la familia. Es mejor que nada, pero lo que realmente necesitamos es acabar con los abusos.

Muchos de los más eficaces tipos de acción directa pueden verse como alguna versión de control de daños.[54]

---

54 Ver Down With Empire, Up With Spring (Abajo el Imperio, Arriba la Primavera), publicado de forma anónima en Inglaterra por el Do or Die Collective (Colectivo Hazlo o Muere). Para un ejemplo práctico animado por la ética biocéntrica en el campo de la defensa de la naturaleza, ver Blue Mountains Biodiversity (Biodiversidad Montañas Azules) en bluemoun-

El problema es que es más fácil tener metas alcanzables y cuantificar el éxito respecto a las personas, más que frente al sistema. Puedo visualizar los pasos de la A a la Z de cómo dejar veinticinco galones de agua en un sendero. Cuando despierto en la mañana, siempre hay algo que puedo hacer para avanzar hacia esa meta. Me cuesta más visualizar cómo sacar a la Patrulla Fronteriza del desierto y todavía más imaginar cómo efectuar un cambio económico estructural a escala mundial. Puede ser tentador decir que es mejor tener éxito en lo que podemos hacer que fallar en lo que no, pero eso no es más que derrotismo. Realmente no quiero seguir dejando agua veinticinco años más. ¿Entonces qué debemos hacer?

Afortunadamente, ninguno de nosotros tiene que hacerlo todo. Mi trabajo no es ser Moisés y liberar al pueblo. No es así cómo ocurre un cambio social significativo. Puedo dar lo mejor de mí para ayudar, pero si las personas van a liberarse, lo harán por sí mismas. Yo no puedo tener la última palabra en las luchas de otras personas por su liberación. Confío en que los millones de personas que están afectadas de forma más directa por la inmigración y la vigilancia fronteriza encontrarán formas para combatirlas. Seguramente habrá cosas que los ciudadanos estadounidenses blancos podamos hacer si mantenemos nuestros oídos en la tierra. Si mis esfuerzos en el desierto contribuyen en alguna forma a esos 39 mil millones de dólares que pasan de los ricos a los pobres cada año, entonces estoy feliz.

---

tainsbiodivesityproject.org. Hay innumerables ejemplos más en cada campo de la lucha.

Ulises cojeó al campamento con todo su peso sobre una rama, arrastrando su pierna derecha detrás de él.

"¿Tu pierna está rota? le preguntamos." Él era joven y flaco.

"No," respondió. "Solo tengo una pierna. La prótesis de mi pie está rota".

Sin duda, su pierna había sido amputada desde arriba de la rodilla. Había hecho todo el camino desde Altar, seis días sobre las montañas. Su pie finalmente se había rendido el cuarto día. Nunca había visto nada como esto.

"Whoa, amigo."

Sabía de alguien que conocía a alguien, e hice algunas llamadas.

"Necesitamos un pie," le dije. "Cuanto antes".

Dos días más tarde, había un paquete esperando en Tucson. Dentro había un pie.

Conduje de vuelta al campamento y Ulises estaba lavando los platos. Había un grupo de doce hombres en la cocina.

"No confío en ellos," me dijo, en voz baja. "Algunos de estos tipos son sospechosos. No les he dicho que solo tengo una pierna. Ellos piensan que está rota o algo. Vamos a tener que cambiarla en el tráiler donde no puedan ver." Él cojeaba terriblemente.

Tomé el paquete del camión, y los doce hombres nos vieron caminar hacia el tráiler.

Ulises tenía una llave Allen para aflojar el tornillo que sostenía su pie. Ambos hicimos palanca con ella, pero el tornillo estaba oxidado y aferrado en su lugar.

"Carajo," dijo. "Necesitamos un anti-corrosivo."

Lo saqué del camión, en frente de los doce hombres. Él lo aplicó alrededor del tornillo hasta que el tráiler se llenó de humo. Halamos y halamos, pero no se movió.

"Hijo de puta," dijo. "Necesitamos un trinquete."

Saqué uno del camión y los doce hombres me vieron volver al tráiler. No importaba qué hiciéramos, el tornillo no se movía.

"¡Pinche hijo de la gran chingada!" dijo. "¡Necesitamos un tubo!" Encontré un tubo largo, frente a los doce hombres.

Él puso el tubo sobre la manija del trinquete. Nos apoyamos uno contra otro y volvimos a hacer palanca.

¡El tornillo al fin salió!

Ulises ajustó su nuevo pie y apretó todo. Empezó a caminar en círculos dentro del pequeño remolque.

"Ah, sí, este es bueno. Estoy listo para irme. ¡Estoy listo para irme!"

Siguió pisando fuera del tráiler y volvió a la cocina para terminar de lavar los platos, caminando rápidamente y con mucha confianza. Solo puedo imaginar cómo pudo haberles parecido esto a los doce hombres. Parecía como si yo hubiera puesto mis manos sobre él en el tráiler y hubiera sanado su pierna con anti-corrosivo, un trinquete y un tubo. Ellos se fueron más tarde esa noche.

Ulises era de Chiapas.

"Mira," me dijo durante la cena. "Mi pueblo es una porquería. Solo hay dos cosas allí: plátanos y gente muerta. No estoy bromeando. Si no me crees mira la portada del periódico. Plátanos y muertos. Es lo que verás. Las mafias están matando a todo el mundo allá.

Pero bueno, yo estaba viendo a esta chica, ¿verdad? Realmente me gustaba. Habíamos estado juntos durante mucho tiempo. Nos íbamos a casar y todo. Pero yo no tenía dinero, y no quería trabajar en las plantaciones de plátano, ni para la mafia, y no hay nada más que puedas hacer allí. Así que fui a la Ciudad de México a ganar algo de dinero para poder casarme. Ahorré un montón, regresé a casa, ¡y ella se había casado con otro tipo!"

"Oh, no," dije.

"Y entonces," prosiguió, "bueno, yo estaba muy triste. Así que fui a esta fiesta, y estaba bailando con esta otra chica, y bien, sabes, la embaracé. Su fecha de parto es en dos meses."

"Hmm..."

"Pero apenas nos conocemos, ¿verdad? Ella no quiere estar conmigo, ni yo con ella. Sus padres están enfadados. Me odian. No quieren que ella tenga nada que ver conmigo. Y mientras tanto, ni siquiera puedo caminar por el pueblo sin cruzarme a la chica que amo de verdad y ella está con este otro tipo. Así que yo estaba como, ¿sabes qué? Estoy harto de este lugar. Me voy a los Estados Unidos. Enviaré dinero a mi hijo cuando haya nacido y tal vez, cuando crezca, él no tenga que cosechar plátanos o matar a alguien para la mafia."

"Caray."

Muy pronto me di cuenta de que Ulises era muy, muy inteligente. Ingenioso. Ingenioso como solo jóvenes de una pierna de pequeños pueblos violentos del sur de México pueden ser. Él era muy observador y recordaba todo. Cuando estuvo listo para irse, caminamos hasta la colina sobre el campamento. El clima era sorprendentemente cálido. Él iba a caminar a Tucson, al menos cuatro días más.

Le dije todo lo que sabía; arroyos, montañas, colinas, puntos de referencia, tiempo, distancia, norte, sur, este, oeste, todo desde México hasta Phoenix. No poca información. Asintió solemnemente, sin decir una palabra. Cuando terminé, él me lo repitió todo de forma sucinta y precisa, con unas pocas preguntas convincentes. Yo sabía que él iba a conseguirlo. Al cabo de una semana, él envió un mensaje diciendo que estaba en la casa de su tío en Oakland.

Busqué un periódico de su pueblo natal. Plátanos y gente muerta en la primera página.

Las cosas no salieron muy bien con su tío. Ulises necesitaba donde quedarse. Terminó viviendo con viejos amigos míos y me enviaba regularmente graciosas actualizaciones sobre sus bandas de punk y sus vidas amorosas de cuatro dimensiones. Parecía feliz.

Seis meses después, la madre de su hijo fue asesinada en su pueblo natal. Ulises dejó todo y voló a Chiapas para ayudar a la mamá de la chica a criar el bebé. Perdí contacto con él, al igual que el resto. Siempre me pregunté qué le habría pasado.

Un día, cinco años después, yo estaba en Tucson y recibí un mensaje del campamento.

“Tienes que venir. Hay un chico con una pierna que pregunta por ti y te llama por tu nombre. Él caminó con una familia hondureña. Una niña de trece años, un chico de diecisiete y un hombre de cincuenta y cinco. Tenías que haberlo visto, tiró su gorra al suelo y empezó a saltar agitando sus brazos diciendo, "¡Lo sabía! ¡Lo sabía! ¡Les dije que lo lograríamos! ¡Sabía que podíamos encontrar este lugar!"

Conduje al campamento. No lo podía creer.

"¡Ulises! "¡Ulises! "¿Qué pasó?" Él había engordado un poco y ya no se veía más como un niño.

"Escucha," me dijo. "Mi hijo está con su abuela. Ahora nos llevamos bien. Decidimos que sería mejor que yo volviera para trabajar. Fui a Altar y me encontré con un grupo. Un helicóptero al norte nos dividió, la misma mierda de siempre, y como suele pasar, el pinche guía salió corriendo. Escapé con estos tres hondureños. Les dije 'Miren, hay un lugar donde pueden ayudarnos. Podemos conseguir agua, comida, medicina y también podemos dormir allí. Han pasado cinco años y no sé bien donde estamos, pero creo que puedo encontrarlo. Si quieren, vengan conmigo'. Estuvimos seis días en las montañas. Pasé cada minuto pensando en la conversación que tuvimos en la colina. Traté de recordar cada palabra que dijiste. Pensaba tanto que había humo saliendo de mis orejas. Caminamos en círculos un poco, pero lo conseguimos. Caminamos derecho por todo el camino de entrada. Lo hice. Los volví a encontrar."

Todavía sigo asombrado por Ulises. Encontró nuestro campamento en la vasta extensión del desierto de Sonora, de memoria, después de cinco años, sin un teléfono, un mapa o un GPS, y llevó con él tres personas a salvo, que de lo contrario podrian haber muerto fácilmente. Ni una persona en un millón habría estado dispuesta a esto, ni habría sido capaz. La Patrulla Fronteriza puede tener tantas medallas en sus pechos como les dé la gana y esos políticos pueden envolverse en la bandera. No me importa. Ulises es un verdadero héroe americano. Ahora trabaja en los Estados Unidos y envía dinero a su hijo.

Resistencia

Con esa advertencia (que ninguno de nosotros tiene que hacerlo todo), queridos lectores, por favor permítanme abordar esto directamente. La muerte en el desierto no es lo único desastroso en el mundo. Pero es bastante grave, y golpea cerca de mi casa. Realmente me gustaría que terminara. Te animo a encontrar una forma de participar. No puedo decirte exactamente cómo hacerlo. Venir a trabajar en el desierto es una forma. Hay muchas más. Hay comunidades de personas indocumentadas en casi cualquier parte del país, en todo del mundo. ¿Cuál es la situación dónde estás y qué podrías tener para ofrecer? También hay instituciones que se benefician de esta catástrofe en casi cualquier parte del país. ¿Qué podrías hacer?

Algunos han sugerido[55] que con el fin de vincular el cambio de sistema con metas tangibles, debemos encontrar puntos de intervención en el sistema donde podamos dirigir la energía para aprovechar la transformación. Estos puntos de intervención incluyen la producción, la

55 Por ejemplo, Patrick Reinsborough y Doyle Canning en "Points of Intervention," (Puntos de Intervención).

destrucción, el consumo, la decisión y la suposición. No es perfecto, pero es un buen marco que cualquiera puede usar cuando se piensa en cómo intervenir una situación concreta.

¿Cómo sería la acción directa en el punto de la producción? ¿Impidiendo la construcción de nuevas instalaciones del sistema de centros correccionales? ¿Y la destrucción? ¿Encontrando formas de interferir con las operaciones de la Patrulla Fronteriza y el Servicio de Inmigración y Control de Aduanas o interviniendo en las deportaciones? ¿Y el consumo? ¿Presionando empresas para que no cumplan las leyes anti-inmigrantes y organizando boicots contra las que se nieguen? ¿La decisión? ¿Interrumpiendo reuniones o procesos legislativos? ¿Cómo sería la acción directa en el punto de la suposición? ¿Qué mentiras y suposiciones se usan para justificar la deshumanización de los inmigrantes? ¿Cómo puedes contrarrestarlas? ¿Tienes otras ideas ?

La acción directa en el contexto de la ayuda humanitaria en el desierto es en definitiva un campo relativamente nuevo. Hay muchas tácticas por desarrollar y muchas que no se han llevado al límite. Todavía hay mucho por aprender y hay mucho que gente nueva puede ofrecer. Lo más prometedor son las alianzas transnacionales, interculturales e intergeneracionales que se han forjado en el crisol de la frontera, que tienen que acercarse a su máximo potencial. Nuestra capacidad para hacer realidad este potencial determinará la extensión del éxito de nuestra campaña para acabar con la muerte de migrantes en el desierto, y de si esa campaña alguna vez se convierte en una resistencia más profunda al sistema, a la raíz del problema. Todavía no han escuchado nuestro trueno.

Por lo general no me emocionan mucho las acciones en las que la gente es arrestada a propósito. "Eso va contra mi ética de estafar," dice Lupe Fiasco, y yo suelo estar de acuerdo. La desobediencia civil es ampliamente fetichizada en los Estados Unidos, aunque no siempre produce los resultados más deseables. Sin embargo, al igual que cualquier otra táctica, puede funcionar en las circunstancias correctas.

Por ejemplo, el 11 de octubre de 2013, dos grupos de personas se encadenaron a dos buses de G4S (antes Wackenhut) llenos de 70 detenidos llevados a las audiencias en la corte federal de Tucson, Arizona, por la "Operación Streamline." Otro grupo se encadenó dentro de la misma corte. La historia requiere de algo de contexto.

La Operación Streamline es una iniciativa del Departamento de Seguridad Nacional y el Departamento de Justicia, iniciado en 2005, que adopta un enfoque de tolerancia cero con el paso fronterizo no autorizado. En contraste con la política anterior, las infracciones inmigratorias son procesadas por el sistema de justicia criminal. Los infractores sin antecedentes son procesados por entrada ilegal como delito menor, lo que implica una pena máxima de seis meses. Cualquiera que haya sido deportado en el pasado y sea capturado volviendo a entrar recibirá el cargo de reingreso como delito grave, dos años de sentencia, pero puede llegar hasta 20 si la persona tiene antecedentes criminales. Más del 99% de las personas procesadas por la Operación Streamline se declaran culpables, porque quienes lo hacen obtienen penas más cortas, mientras que quienes no, pueden recibir la máxima pena.

Otra característica distintiva es que los casos no se procesan individualmente. En cambio, las personas son procesadas en un grupo numeroso. Un solo caso en la corte de Tucson puede incluir hasta 70 acusados. Los casos grupales típicamente toman de 30 minutos a dos horas y media para decidir, es decir, de 25 segundos a dos minutos por acusado. Además, los abogados de defensa cuentan apenas con media hora para consultas con su cliente, lo que ocurre en la mañana del juicio. Estas consultas son al aire libre, en la misma corte en la que más tarde se realizará el juicio en masa. Todo esto es de dudosa legalidad en el mejor de los casos, pero lo han hecho felizmente en cada día hábil por años. El negocio es bueno.

Ten en cuenta que la gente es enviada a prisión con regularidad por años en estas Cortes no diplomadas. No soy fan de los procesos jurídicos, así de simple; pero incluso por estándares normales, Streamline es una parodia de esta justicia. Estrictamente hablando, es un fracaso de los procedimientos reglamentarios. El claro objetivo de todo esto es hacer pasar más personas por el sistema jurídico. El resultado final es que decenas de millones de dólares de los contribuyentes son canalizados a la industria de prisiones privadas, que albergará a los detenidos (G4S por ejemplo).

Streamline fue frenado completamente en Tucson el día de la acción del autobús. Llevó a la policía bastante tiempo averiguar cómo lidiar con la situación, tanto, que todas las audiencias para ese día fueron canceladas. No había forma de llevar a los detenidos de vuelta al juicio, porque el tribunal tenía 70 personas más agendadas para el día siguiente, y el siguiente, y el siguiente, hasta el infinito. Todos los detenidos en ambos autobuses fueron eventualmente deportados sin procesos penales, porque el gobierno no podía darles un juicio rápido como corresponde por ley. El gobierno trató, pero no pudo condenar a todos los participantes de la acción con varios cargos. Los acusados en el caso fueron sentenciados a 14 horas en prisión: sin multas.

Sin embargo, hay cierto desacuerdo sobre la eficacia de la acción, puesto que un gran porcentaje de detenidos acabaron siendo deportados lateralmente. Para dar un poco de contexto, la deportación lateral es otra práctica legalmente cuestionable que el gobierno ha usado por años. La idea es enviar a los deportados no a la ciudad fronteriza más cercana de donde fueron detenidos, sino a otro lugar mucho más lejano. Al Departamento de Seguridad Nacional le encantaba enviar gente al noreste de México a comienzos de 2010, cuando era prácticamente una zona de guerra. Ser deportado lateralmente de Nogales a Matamoros en esos años era como recoger un borracho en San Francisco y tirarlo en Bagdad en la medianoche después de haberle quitado la billetera.

Debido a esto, algunas personas argumentaron que los efectos negativos al bloqueo de G4S superaban los positivos. Otros no estaban convencidos de que los dos eventos estuvieran relacionados; otros más señalaron que para cada acción, hay una reacción igual y opuesta, y no hay forma de evitarlo.

Hasta dónde sé, la mayoría de la gente está de acuerdo con esto: al final, 70 personas que de otra forma hubieran ido a prisión, no fueron procesadas criminalmente, ni detenidas.

Así que la acción les costó poco a los participantes, ya que los beneficios fueron grandiosos. Es un buen resultado. La táctica podría ser fácilmente replicada o mejorada por gente involucrada en este tipo de cosas. Al final, la ley de la disminución de los regresos entrará (las tácticas de la policía pueden mejorar, las sentencias y las multas incrementar, la definición de juicio rápido cambiar, y así sucesivamente) pero sería efectiva por algún tiempo. Cuando deje de ser efectiva, los participantes podrán desarrollar alternativas y el campo de batalla se movería una vez más.

Termino con dos puntos. Primero, la cadena de suministro es siempre el corazón de la logística militar. Cuánto más grandes y complejas sean estas cadenas serán más susceptibles a la perturbación, y la cadena de suministro del gobierno de Estados Unidos en su guerra unilateral contra las personas indocumentadas es de hecho grande y compleja, y altamente susceptible a la perturbación. Segundo, es posible evaluar la efectividad de la mayoría de las acciones haciendo un simple análisis de coste-beneficio: ¿Qué es lo máximo que podríamos lograr o beneficiar para el mínimo de riesgos o costes? El bloqueo del autobús es un ejemplo acertado de cuando esto sale bien. Hay un campo infinito de posibilidades en espera de más experimentación.

“Vivir para ser libres o morir
para dejar de ser esclavos.”

-graffiti que cita a Práxedis Guerrero en el muro fronterizo del sur, Nogales, Sonora.

... termina en todas partes

Del Este al Oeste

He dado lo mejor de mi para explicar la historia de la migración irregular en Norteamérica. Es una historia que no es exclusiva de Estados Unidos, ni de Occidente. Diferentes versiones pueden encontrarse donde sea que la pobreza y la inestabilidad confluyan con la riqueza empresarial y la estabilidad: desde Haití hacia República Dominicana; desde varios países del oeste de África, pasando por Marruecos, hacia España por Ceuta y Melilla; desde el oeste y este de África (Somalia, Eritrea, Sudán, Sudán del Sur), a través de Libia y cruzando el mar Mediterráneo, hacia Italia por Lampedusa; desde el este de África, por la península del Sinaí, hacia Israel; desde la República Centroafricana hacia cualquier otro lugar; del sur de África (sobre todo Zimbabwe) hacia Suráfrica; desde el Oriente Medio (Siria, Irak) y Asia central (Afganistán, Pakistán), a través de Turquía y el Mediterráneo, hacia Grecia por Lesbos; desde Bangladesh hacia la India; desde Bangladesh y Myanmar (sobre todo de los pueblos Rohingyas), por el mar de Andaman, hacia el sureste de Asia (Malaisia, Tailandia, Indonesia); desde el sur de Asia (India, Pakistán, Bangladesh, Sri Lanka, Nepal) y las Filipinas hacia los Estados del Golfo (mediante el sistema legal *kafala*); desde Corea del Norte a través de China y Laos hacia Tailandia o Corea del Sur; desde la China rural hacia la China urbana (debido al sistema de residencia *hukou*) y desde varias zonas de Asia y el Oriente Medio, a través de Indonesia y el mar de Timor, hacia Australia... por poner solo unos pocos ejemplos.

Cualquiera de esas rutas podría dar para un libro entero. Cada lugar es diferente, pero la historia suele ser la misma. En todas partes encontramos la misma frontera. En todas partes muere gente intentando cruzarla, enfrentándose a las mismas barreras y guardias. En todas partes existe la misma industria de la trata de personas construida a su alrededor, donde se repiten los mismos patrones de secuestro, extorsión, servidumbre por contrato, esclavitud y violaciones. Todo lo malo se adjudica a estos traficantes de personas, que no son la causa del problema sino un subproducto. En todas partes hay intercambios desiguales: precios altos, salarios bajos y caos en un lado; salarios altos, precios bajos y orden en el otro. En todas partes se da la misma sobreexplotación de trabajo de indocumentados en el interior, el mismo terror a la deportación, los mismos beneficios económicos gracias a la detención, el traslado de personas y a la militarización de la frontera, y el mismo papel de migrantes y refugiados como chivos expiatorios. En todas partes se intenta de la misma manera externalizar el problema hacia países intermediarios (México, Marruecos, Libia, Turquía, Indonesia), las mismas deportaciones a través de terceros, la misma utilización de personas desplazadas para negociar concesiones entre esos Estados y los Estados del primer mundo que tienen la sartén por el mango... entre la periferia y el núcleo.[56] En todas partes hay un excedente de

---

56 La inmensa mayoría (86%) de las personas definidas como refugiados bajo la ley internacional no se encuentran en la Europa occidental, Estados Unidos o el "Primer mundo", sino en los llamados "países en vías de desarrollo" como Turquía, Líbano, Jordania, Pakistán, Irán, Etiopía o Kenya. En 2016, Líbano acoge a 1,5 millones de sirios, que ahora representan el 25% de la población del país, el récord mundial de porcentaje refugiados/ciudadanos. Si se hiciera la extrapolación, Estados

humanidad que se niega a desaparecer, aunque el capitalismo no la necesite.

Cada vez más solo queda una opción, un lugar al que acudir, un empresario que sigue contratando: el nihilismo puro. ISIS, Boko Haram, los Zetas. Señores de la guerra. Cuando todas las puertas están cerradas, los excluidos pueden seguir adelante de acuerdo a este principio: "si nuestras vidas no valen nada, nada es sagrado". Este no es el mundo en el que quiero vivir.

El dogma central del "libre comercio", ese capitalismo globalizado que ha dominado al mundo desde el fin de la Guerra Fría, es que el capital debe poder moverse libremente a través de las fronteras, mientras el trabajo y la humanidad sobrante no se rige por estos principios. El papel principal de los Estados (cada vez más su *único* papel) es mantener el orden en el interior y vigilar las fronteras. Los documentos que demuestran la ciudadanía se han convertido en lo más determinante dentro de un sistema de castas global y estratificado. Después de más de 25 años, este sistema funciona cada vez menos. Quizá ya se está desmembrando del todo.[57]

Unidos debería acoger 107 millones de refugiados. Ver Global Trends: Forced Displacement in 2015 (Tendencias Globales: Desplazamientos Forzados en 105).

57 La Agencia de la ONU para los Refugiados (sic) anunciaba que, hasta finales del 2015, 65,3 millones de personas fueron desplazadas forzosamente en todo el mundo como resultado de la persecución, conflicto, violencia generalizada y por violaciones de los derechos humanos. Según el informe, esto representa 5,8 millones más que el año anterior, y el número de personas desplazadas ha alcanzado cifras históricas, superando incluso las cifras posteriores a la Segunda Guerra Mundial.

Me opongo a todas las fronteras y estoy a favor del libre movimiento de las personas por todo el mundo. No creo que la práctica de restringir los desplazamientos en base al lugar de nacimiento sea justificable bajo ningún prisma ético, filosófico, espiritual o sistema legal.

Y tengan en cuenta que no soy un utópico. No creo que haya ninguna posibilidad de que las fronteras dejen de existir por arte de magia, ni que, en el caso de que eso ocurriese, no hubiera efectos secundarios desagradables. Pero cualquier paso en esa dirección es mejor que nada. Hay algunos pocos lugares donde la migración irregular se administra de forma, en comparación con muchos otros sitios, más humana: la de Nicaragua hacia Costa Rica, de Siria hacia Líbano, o la de Bolivia, Paraguay y Perú hacia Argentina o Brasil.

Suavizar o abolir las fronteras crearía nuevos problemas. Pero a no ser que creamos que algunas vidas son más valiosas que otras, entonces, desde el punto de vista de lo qué sería mejor para la mayoría, cuanto antes afrontemos estos problemas directamente y con valentía, mejor. Sí, eso haría más fácil a los terroristas atacar Occidente, pero si Occidente dejara de ser una fortaleza sellada que solamente consume recursos, existirían menos incentivos para atacarlo. Sí, las guerras podrían proliferar, pero nos guste o no, esas guerras ya se están gestando, más virulentas, y lo único que hacen las fronteras es exacerbar las condiciones que llevan a la gente a pelear estas guerras.

Las cartas están echadas. Vivimos el final de una época en que las necesidades de ciertas personas podían ser satisfechas a expensas de otras, sin compensación. Esa época está llegando a su fin.

“Soy un disturbio
Soy un disturbio
a través de tus fronteras
Soy a prueba de balas”

-Beyoncé Knowles-Carter, “Freedom,” 2016

Caos y Orden

El muro en el desierto debería ser visto como el símbolo de mi generación, como el muro de Berlín lo fue de la anterior. Y como el muro de Berlín, será derribado con martillos y máquinas excavadoras. Si sigo vivo, ahí estaré.

Tras el fin de la Guerra Fría nos dijeron que habíamos alcanzado el fin de la historia. La nueva era duraría para siempre: democracia liberal, libre comercio capitalista, hegemonía militar de Estados Unidos y un sistema de fronteras cuidadosamente administrado para regular el movimiento de los trabajadores y de la población sobrante. Durante un periodo de tiempo en los años 90, fue posible que algunas personas se convencieran de ello, de que era algo real.

Ya nadie lo cree, ni los principales beneficiarios del orden establecido. Encontramos su apocalíptica ansiedad en todas sus películas, vídeos musicales y publicidad, y sobre todo en sus planes de contingencia.[58] Y ni siquiera me voy a acercar al tema de la ecología: *todo el mundo* sabe que la fiesta no puede continuar, que el carruaje se convertirá en una calabaza a medianoche y que nuestros niños sufrirán graves consecuencias por la herencia que les hemos dejado.

---

58 Ver *Introduction to the Apocalypse* (Introducción al Apocalipsis), publicado de forma anónima por el Institute for Experimental Freedom (Instituto para la Libertad Experimental), en 2009.

Con el cambio de siglo, aquellos de nosotros que nos oponíamos al orden establecido creímos involucrarnos en una confrontación bilateral que medía las fuerzas entre los intereses de la humanidad en general y las entrelazadas estructuras del poder del Estado y el capitalismo. Ya no puedo redactar esas palabras con cara seria. Otro mundo siempre es posible, tal y como anunciaba nuestro eslogan, pero ahora está claro que no éramos los únicos que pensaban en cómo luciría ese nuevo mundo, y es que la inestabilidad social en sí misma no es necesariamente algo positivo.

Así que si bien es cierto que la era neoliberal está llegando a su fin, no hay garantías de que algo mejor ocupe su lugar. Quienes se oponen a este orden en nombre de la liberación para todos no son los únicas interesados en destruir las fronteras, ni los mejor armados, entrenados o financiados.[59] ISIS puede ser la primera formación fascista de la historia que es explícitamente antiracista y antinacionalista. De hecho, consiguieron tirar abajo una frontera nacional, que es más de lo que ningún otro movimiento o insurrección ha conseguido últimamente.

Pero ISIS calculó mal, está claro. La gente no tolera el caos durante mucho tiempo. La gente busca la posibilidad de alguna resolución, inclusive el totalitarismo si no hay otra opción y no hay otra escapatoria. La gente que, como forma de vida, fomenta el caos normalmente quiere estar a cargo. Casi siempre fracasa. Por otro lado,

---

59 Además, tal como el voto a favor del Brexit o la elección de Trump demuestran, muchos de las que se oponen a ese orden lo hacen en nombre del nacionalismo autoritario y esperan fortificar las fronteras de forma aún más férrea que hasta ahora.

cuando se ven fuertemente presionados, los que están a cargo muchas veces provocarán el caos para posicionarse como la única solución posible. A menudo tienen éxito. La vieja guardia todavía tiene muchas fuerzas para luchar.

Es algo que podemos ver tanto en Siria como en México. ISIS salvó a Assad, los Zetas salvaron al PRI. En el momento en el que escribo, ISIS no está ganando, pero Assad sí. De forma parecida, los Zetas han perdido impulso: Sinaloa y el PRI están más asentados en el poder de lo que lo estaban hace diez años. Bajo la presión de transformar la sociedad (en México debido a *La Otra Campaña*[60] de 2006 y en Siria por la Primavera Árabe de 2011), las élites de ambos países prefirieron la guerra a enfrentarse a una revolución. En ambos casos, el caos que siguió finalmente sirvió para legitimar sus dominios. En ambos casos, es cuestión de tiempo antes de que los movimientos sociales se reafirmen en desestabilizar el orden existente, desde abajo.

La revolución se convierte en guerra. La guerra justifica la tiranía. La tiranía lleva a la revolución.

La piedra aplasta las tijeras. Las tijeras cortan el papel. El papel envuelve a la piedra.

Las apuestas en este juego son crecientemente globales. ¿Hay posibilidad de ganar?

---

60 Para una declaración de principios que motivó este ambicioso intento de sacar la rebelión Zapatista fuera de Chiapas hacia el conjunto de México, ver la *Sexta declaración de la Selva Lacandona,* emitida por el EZLN en junio de 2005.

Transformación

"Sin lucha no puede haber progreso. Los que profesan a favor de la libertad, pero desaprueban la agitación, son los hombres que quieren cultivos sin arar el terreno; quieren lluvia sin rayos ni truenos. Quieren el océano sin el terrible fragor de sus muchas aguas. Esta lucha puede que sea de tipo moral, o puede que sea física, y puede ser tanto una como otra, pero debe ser una lucha. El poder no concede nada si no se le exige. Nunca lo hizo y nunca lo hará. Si descubres a lo que las personas aceptan someterse encontrarás la medida exacta de la injusticia y los agravios que les serán impuestos, y estos continuarán hasta que sean confrontadas con palabras, golpes o ambas. Los límites de los tiranos son prescritos por la resistencia de aquellos a quienes oprimen"

Frederick Douglass, 3 agosto 1857.

Revolución

Entonces, ¿estamos hablando de una revolución? ¿Qué es la revolución? ¿Qué significa?

Marx dijo que era apoderarse de los medios de producción; Lenin, que era apoderarse del poder estatal. Nechayev dijo que era el fin para justificar todos los medios; Stalin decía que podía darse de forma continua dentro de las fronteras de un Estado-nación. Mao enfatizaba la importancia de la cultura; Pol Pot, que nos llevaría a un nuevo comienzo. Sus sueños fueron pesadillas y la victoria fue peor que la derrota.

¿Puede rescatarse este concepto? Yo creo que sí. ¿Qué *es*?

Bakunin encarnó la revolución. También predijo qué pasaría si fuera interpretada como una forma de colocar a la gente correcta al mando. Nube Roja o Caballo Loco nunca comentaron nada respecto a la revolución: no lo necesitaban. Frederick Douglass luchó por ella, William Lloyd Garrison argumentó a su favor, Harriet Tubman vivió para ella y John Brown murió por ella, aunque en su época a la revolución se le llamaba Dios. Seth Concklin pasó toda su vida trabajando por ella, y casi nadie se lo agradeció o recordó su nombre. La revolución aguantó una semana en las barricadas de la Comuna de París. Louis Lingg pidió a sus carceleros que le colgasen por ella y entonces, él se les adelantó. Emma Goldman dijo que se podía bailarla, Alexander Berkman apuntó a ella y lo mantuvieron juntos durante 47 años. Los Wobblies pillaron un aventón para seguirla; Mother

Jones la gustaba. Durruti dijo que la llevamos en nuestros corazones y que crece a cada instante. En el último mes de su vida, Malcolm X dijo que será un choque global entre los oprimidos y los opresores, entre aquellos que quieren libertad, justicia e igualdad para todo el mundo y los que quieren continuar con los sistemas de explotación. Los Panteras lo tenían todo, pero sus enemigos los desmembraron: en el oeste tenían el corazón, en el este los dientes, en el norte sus raíces y en el sur las agallas. Dieron un susto de muerte al Gobierno. Fred Hampton la describió perfectamente y le mataron por ello. Los Weather Underground intentaron encenderla. Assata Shakur creía que nos podía llevar a buen puerto y se salió con la suya. El Movimiento Indio Americano no dijo mucho sobre ella, ni tampoco es que hiciera falta. Los Zapatistas dejaron de hablar de ella y se pararon a escuchar y entonces ocurrió. Está sucediendo de nuevo en Rojava, en las circunstancias más complicadas.

Alcancé a vislumbrarla en Seattle, en 1999, y en Oakland en 2011, pero se escabulló. No voy a especular sobre mi generación: aún no ha terminado.

Uno de los fundadores de No Más Muertes me explicó una vez una historia, llamada "La parábola del Río". Puede que a personas que hayan trabajado en ONG's o en el sector de salud les suene familiar. La estructura de la historia no es perfecta y la metáfora es totalmente errónea al menos en un pasaje importante: los migrantes y refugiados nunca son simplemente víctimas indefensos, como espero haya quedado claro en las páginas precedentes. La mayoría no son bebés y los niños crecen rápido.[61] Sin embargo, es una parábola conocida por una buena razón, refleja el dilema central del trabajo solidario en el desierto y de otros proyectos parecidos.[62]

Dice algo así:

"Hay un pequeño pueblo a orillas de un río. Un día, una mujer va a la orilla para lavar la ropa, ¡y ve a un bebé flotando! Salta al agua y pone a salvo a la criatura. La lleva al pueblo y encuentra a alguien que se ocupe de ella. Cansada y agotada, vuelve a seguir lavando su ropa... ¡y ve otro bebé flotando! De nuevo, salta hacia la rápida corriente y toma al bebé en sus brazos. Pero antes de poder llegar a la orilla, ve como otro bebé se le acerca flotando. Y otro, y otro. Consigue agarrar a otro bebé, pero solamente tiene dos brazos. Dos bebés se van alejando arrastrados por la corriente. Uno desaparece bajo el agua más allá de su alcance. La cabeza de uno de ellos choca contra una roca. La mujer mira a la corriente y ve cómo seis bebés más flotan hacia donde

---

61 He podido observar bastantes interacciones entre estadounidenses de 26 años y hondureños de 16 años. Normalmente no hay duda sobre quién es el adulto.

62 Quien me explicó esta historia tiene más de 80 años. Ha estado involucrado en movimientos sociales más de 50 años: primero en el movimiento por los derechos civiles, luego luchando por el fin de la guerra en Vietnam, después en el Movimiento Santuario y, finalmente, en No Más Muertes. Dice que desde siempre ha escuchado esta parábola.

se encuentra. Horrorizada, grita pidiendo ayuda. Las personas que trabajan en el campo cercano corren en su ayuda.

Los bebés siguen apareciendo. Al poco rato, todos los habitantes se encuentran ocupados tratando de salvar a todos los bebés que siguen llegando. Hay equipos de buenos nadadores, que en todo momento están alerta en las orillas. Van sacando bebés del agua hasta que sus músculos se agotan y sus dientes rechinan. A veces incluso los nadadores más fuertes saltan al agua con mucha frecuencia. La fría y fuerte corriente los arrastra y sus cuerpos se quiebran contra las rocas. Otras personas alimentan a los bebés, los cuidan para que recuperen su salud y atienden sus heridas. Hay padres y madres que los acogen, hay carpinteros, tejedores, jardineros, cazadores, profesores, terapeutas y cocineros. Se necesita mucho esfuerzo para que los bebés sean adecuadamente alimentados, alojados, vestidos e integrados en la vida del pueblo. Hay gente que hace de todo y sigue sintiendo que no hace lo suficiente.

No es posible sacar a todos los bebés del río. Muchos se ahogan. Pero los habitantes del pueblo creen que en esa situación de crisis, lo están haciendo bien. Incluso el sacerdote del pueblo les bendice por su buen trabajo. La vida sigue.

Pero cada vez es más difícil conseguir comida para todo el mundo y encontrarle un hogar a tantos bebés. La gente está agotada, tiene hambre y está triste. Los nervios están a flor de piel. Los estados de ánimo se crispan. Hay peleas. Llega el invierno.

Cierto día se ve a dos mujeres que se alejan del pueblo. "¿A dónde van?", les pregunta alguien, desconcertado. "¡Las necesitamos aquí! ¿No ven cuan ocupados estamos?"

"Ustedes aguanten aquí", dice una de ellas, con un machete en la mano. La otra mujer lleva una horca. "Vamos río arriba a parar a quien sea que está lanzando todos estos bebés al río".

En la plaza del pueblo estalla una discusión a gritos.

"¡Ya era hora!", grita el herrero, levantando su hacha. "¿Por qué no se nos había ocurrido antes? No podemos permitirnos seguir así mucho tiempo. ¡Voy con ustedes!" Muchos de las habitantes del pueblo gritan en señal de aprobación.

"¡No tan rápido!", exclama el sepulturero, golpeando su pico contra el suelo. "¿Qué va a pasar si todos dejamos de trabajar en nuestras funciones? ¿Quién vigilará el río? ¿Quién se encargará de cuidar a los niños que viven con nosotros? ¿Quién atenderá en la clínica? ¿Quién se ocupará de los huertos? Les diré qué ocurrirá: se ahogarán más bebés". Muchas de las personas que antes estaban a favor de la expedición ahora asienten solemnemente a las palabras del sepulturero.

"Esto es una falsa dicotomía", comenta una de los jóvenes que lava los platos. "Algunos deben ir a ver qué pasa y otros quedarse aquí". Casi todo el mundo cree que tiene razón, pero hablamos de un pueblo pequeño.

"No somos suficientes", dice el sacerdote. "Además, supongamos que vamos río arriba. Tú con una pala y yo con un hacha. ¿Qué nos encontraremos? Es posible que haya sido un accidente. Quizá hay un gran agujero al lado de un jardín infantil. Pero no es muy probable. Dado el enorme número de bebés en el río, la explicación más plausible es que alguna persona odiosa y desalmada los esté lanzando al agua. ¿Con qué fin? Debe haber alguna razón.

"¿Qué haremos cuando encontremos al malvado? Intentaremos razonar con él y explicarle por qué lanzar a bebés al río es algo malo? ¿Le empujaremos a él al río? ¿Estamos dispuestos a matarle si es la única forma de acabar con esa práctica cruel?

"¿Qué pasa si es más grande que nuestro amigo el herrero? ¿Qué pasa si tiene una pistola o si no está solo? ¿Qué pasa si sus secuaces tienen palos, cuchillos, pistolas, escopetas, rifles, artillería pesada, tanques, helicópteros, aviones, misiles o armas nucleares? ¿Cómo seríamos capaces de detenerlo?"

Por fortuna, el sacerdote se olvida de algo, y la parábola no lo tiene todo en cuenta. Hay millones de personas en el río. Debemos ser capaces de ayudarnos entre todos.

Una dura lección

No soy un entusiasta acrítico de los zapatistas. Pero hay una razón por la cual fueron capaces de llevar a cabo la primera revolución de la era posmoderna. Estudiaron meticulosamente a sus predecesores, aplicaron las lecciones que les eran útiles, adaptaron las estrategias a su entorno, esperaron a que el momento fuera el adecuado, actuaron audazmente y pusieron al mundo al revés. Mientras el fin de la era posmoderna se aproxima, debemos estudiar a nuestros antepasados, empezando por los mismos zapatistas.

Los zapatistas rompieron con toda la tradición marxista-leninista al demostrar que la meta de alcanzar el poder estatal era una pista falsa. Declararon la guerra al gobierno mexicano sin intención de intentar colocarse en su lugar. En vez de ello se dedicaron a establecer zonas autónomas. Recuerdo que los izquierdistas estaban profundamente confundidos.[63]

La palabra clave de la rebelión zapatista es Autonomía.[64] Podemos definir la autonomía como la libertad de

---

63 A los 14, que es cuando descubrí las inmensas alegrías de las sectas, me encontraba atrapado con los trotskistas.

64 En 2002 me encontraba en la municipalidad autónoma de San Pedro Polho, y veía bandadas de hermosos pollos corriendo por todas partes. "¿De quién son todos estos pollos?", pregunté sorprendido. "Oh...son *autónomos*, también son zapatistas", me dijeron. Esta es la diferencia entre la voz del viento que sopla desde abajo y la voz del viento que viene desde arriba: *pollo* vs. *autónomo*. El PRI habla de la gente como si fueran pollos; el EZLN habla de los pollos como si fueran personas.

tomar decisiones y actuar en todas las cuestiones que nos afectan directamente, empezando desde el nivel del individuo y escalando hacia arriba, sin necesidad de que un poder superior nos dé permiso.

Hizo falta más de un año de lucha armada para que este concepto emergiera plenamente. Su primera aparición en los principios zapatistas fue en la *Tercera Declaración de la Selva Lacandona*, en enero de 1995. En la *Sexta Declaración de la Selva Lacandona* ya es un concepto central.

En esencia, el movimiento zapatista lucha por la autonomía indígena. Por definición, es algo mexicano y maya, pero su objetivo es inspirar a otros a establecer zonas autónomas en cualquier otro lugar. Los zapatistas defienden el derecho de los indígenas a la autodeterminación, algo que se les ha denegado los últimos 500 años. Argumentan que los nativos de un territorio dado deberían ser libres de administrar su propia economía, política y recursos de acuerdo a sus propias tradiciones y costumbres. Esto difiere del separatismo por el hecho de que los zapatistas son claros en que no quieren un Estado propio.

Además, el 1 de enero de 1994, el primer día de la rebelión, el EZLN definió en *El Despertador Mexicano* el derecho de la gente que vivía en territorio zapatista a rebelarse contra cualquier acción injusta del propio EZLN, diciendo que la gente debía "adquirir y poseer armas para defenderse a sí misma, sus familias y sus propiedades... contra los ataques armados de las fuerzas revolucionarias o del gobierno"[65]. Esa es la prueba de fuego. Los revolu-

---

65 Según los informes de Paul Z. Simmons en *Modern Slavery* (Esclavitud Moderna), las YPG/YPJ (Unidades de Protección

cionarios que optan por el monopolio de la fuerza de la misma manera que lo hace un Estado no son de fiar. Si intuyes algo así, échate a correr.

A escala social, la autonomía podría entenderse como la facultad de retener el territorio y dotarse de un proceso de toma de decisiones descentralizado y participativo para administrarlo, sin monopolio de la fuerza. La revolución podría imaginarse como un puente que lleva desde aquí hasta allá. Los 22 años de autonomía indígena en la Chiapas posmoderna son un logro verdaderamente increíble.[66] En memoria, lo mejor de la tradición revolucionaria de Europa apenas puede citar a algo como esto. No es perfecto, pero prefiero una realidad deficiente que pueda tocar con mis manos a un ideal perfecto que no puedo alcanzar.

Hasta aquí todo bien, pero no se puede negar que las cosas no hayan ido muy bien en México esta última década. Los enclaves zapatistas permanecen, pero el resto del país ha ido de mal en peor. El Estado mexicano ha dibujado una línea en la arena. Han perdido control de

---

Popular/Unidades Femeninas de Protección) han tomado posiciones similares en los territorios liberados de Rojava.

66 Ver los trabajos de James C. Scott para otros ejemplos en el mundo posmoderno, y también los escritos de David Graeber sobre Madagascar. Para consultar algunos ejemplos pasados por alto por la historia estadounidense, ver la historia de las comunidades de esclavos que escaparon hacia los pantanos Great Dismal en *The Real Slavery in North America* (La verdadera esclavitud en Norteamérica), por Russell Maroon Shoats, así como la historia de Henry Berry Lowry y los Bandidos de los Pantanos en *Dixie Be Damned* por Neal Shirley y Saralee Stafford.

parte de Chiapas, pero prefieren incendiar su propia casa que arriesgarse a perder el control del resto de México. El secuestro y presunto asesinato de 43 estudiantes de la Escuela Rural Normal de Ayotzinapa en Iguala, Guerrero, en septiembre de 2014[67] envió un mensaje claro de que *La Otra Campaña* se había terminado, de que a la autonomía indígena no se le permitiría expandirse a otras zonas de México y que no hay nada que pudieran hacer los zapatistas respecto a ello. ¿Qué ocurrió?

Cederé la palabra a los mexicanos que estarán más involucrados en todo este tema, pero como estadounidense que participa en el movimiento, aquí está mi teoría: todo se reduce a las armas. Por el momento, las zonas autónomas existen solamente donde son toleradas (como en Chiapas) o donde se defienden con uñas y dientes (como

---

67 Los estudiantes desaparecieron el 26 de septiembre, tras haber requisado autobuses para poder viajar hasta Ciudad de México para asistir a las manifestaciones conmemorativas de la Masacre de Tlatelolco de 1968. En el viaje fueron detenidos por la policía local: nunca se volvió a ver con vida a ninguno de los estudiantes. La investigación oficial concluyó que mientras los estudiantes estaban bajo tutela policial, fueron entregados a los cárteles locales y asesinados. Otros informes dicen que el ejército mexicano estuvo directamente involucrado. Se podría decir que esta masiva desaparición condujo a la mayor crisis que el presidente Enrique Peña Nieto tuvo que enfrentar durante su mandato. El incidente atrajo atención mundial y provocó protestas que se extendieron en el tiempo, sobre todo en Guerrero y en Ciudad de México. El caso tuvo tanto eco porque subrayaba el nivel de connivencia que el crimen organizado había alcanzado con los gobiernos locales, con los cuerpos policiales y con los militares. Ver *The Disappeared* (Los desaparecidos), de John Gibler.

en Rojava). Los espacios autónomos que no son tolerados o que no pueden defenderse son borrados de la faz de la tierra. No me causa ninguna alegría decirlo.

La autodefensa armada puede muy fácilmente convertirse en guerra. La guerra cuesta sangre y dinero. Las armas y la munición no son baratas, y deben conseguirse de alguna manera. De una u otra forma, la lucha armada casi siempre requiere de algún tipo de apoyo estatal. Y esto nos coloca ante un dilema. ¿Por qué querría algún gobierno preservar espacios autónomos? Normalmente no lo desean.

Bien, pero eso generalmente significa que cuando la revolución se convierte en guerra, la autonomía es la primera baja. Algo básico en la innovación de los zapatistas fue su comprensión de que la guerra no solamente se gana en el campo de batalla, que la fuerza motriz de la revolución no se encuentra en el conflicto armado sino en una mejor forma de vida. Desafortunadamente, el Estado siempre tiene un as bajo la manga.

Contra todo pronóstico, los zapatistas siguen invictos. Su revolución en marcha ha sido fuente de inspiración para millones de personas en todo el mundo, yo incluido. Pero el camino hacia un nuevo mundo que intentaron abrir para todos se ha hundido en un océano de sangre.

No hay solución fácil para este dilema. Esas mismas dinámicas convirtieron a Siria en un infierno cuando varias de las facciones en la guerra civil aumentaron el nivel de violencia, hasta despojarse de su humanidad y convertirse en máquinas de matar. Los revolucionarios en Rojava caminan sobre el filo de la navaja, forzados a hacer equilibrismos ante el peligro de ser asimilados por el gobierno estadounidense en un futuro cercano y ser aniquilados por ISIS hoy mismo. Los zapatistas han estado haciendo malabarismos durante 20 años.

Todo lo que puedo decir es que normalmente no es deseable que la revolución se convierta en guerra, aunque a veces pase, y que cuando pasa ambas se ganarán o se perderán al mismo tiempo. No es posible ganar la guerra abandonando la revolución, o avanzar en la revolución ignorando la guerra. He visto repetirse los mismos patrones a lo largo de la historia, en acontecimientos recientes y en mis propias experiencias.

En 2010 y 2011 pasé algún tiempo trabajando con el pueblo Triqui, en el municipio de San Juan Copala, en Oaxaca. Los triquis de esa zona habían participado en el levantamiento de 2006 de Oaxaca, y en enero de 2007 el municipio se declaró autónomo siguiendo las líneas del modelo zapatista. Para noviembre de 2009, los paramilitares, alineados con el gobierno estatal, habían puesto a toda la comunidad bajo asedio, cortándoles el acceso a agua, comida, servicios médicos y electricidad. Hombres armados apostados en las montañas que rodean la ciudad disparaban a cualquier cosa que se moviera. Varias personas murieron.[68]

---

68 Todo esto provocó poco o nulo interés en la sociedad mexicana, incluyendo a la izquierda. Los triquis son uno de los grupos indígenas más marginados en México; son constantemente retratados como genéticamente poco razonables y violentos.

El 27 de abril de 2010, un pequeño grupo de solidarios externos, también veteranos del levantamiento de 2006, intentaron romper el cerco con una caravana de varios vehículos llenos de comida, agua y suministros médicos. Los paramilitares emboscaron la caravana a las afueras de Copala, disparando y matando a dos participantes: Alberta "Bety" Cariño Trujillo (una mixteca muy respetada y directora de una organización indígena llamada CACTUS), y Jyri Jaakkola (un trabajador solidario finlandés bien integrado en la lucha social en Oaxaca). Los supervivientes escaparon hacia la montaña, varios de ellos heridos, emergiendo vivos días más tarde a muchos kilómetros y tras haber enviado emocionantes vídeos de la dura experiencia a través de sus teléfonos celulares. La noticia resonó brevemente en la prensa estadounidense; el clamor en México fue tremendo.

Creo que es justo decir que el caso fue cautivador para mucha gente por quién murió. En el caso de Bety, los triquis y los mixtecas tienen una larga y polémica historia. En un contexto estadounidense sería como si una mujer Hopi fuera asesinada mientras intentaba detener la relocalización de los ancianos Navajo (Diné) en Black Mesa,[69] o si una mujer Ojibwe fuera asesinada llevando comida a los protectores del agua Lakota en

---

Imagina a un estadounidense desinformado cuando habla de Oriente Medio: "Siempre se están matando unos a otros...". ¿Cuál podría ser la razón?

69 Para más información sobre este tema, ver Black Mesa Indigenous Support (Apoyo Indígena Black Mesa) en supportblackmesa.org.

Standing Rock.[70] Y Jyri era *finlandés*. A nadie se le escapaba que había venido del otro lado del mundo para arriesgar su vida por la autonomía indígena.

"Mucha gente creía que era extraño que estuviera involucrado", me comentó una vez uno de los supervivientes. "Pero no lo era. Jyri sabía exactamente en qué se estaba metiendo. Era uno de nosotros y su muerte significó una pérdida terrible". Copala es la única campaña en la que he estado involucrado donde veía de forma regular a indígenas portando consigo fotografías de un trabajador solidario blanco convertido en mártir, en vez de ser al revés. Los nombres de Bety y Jyri estarán ligados mientras se recuerde a una de las dos personas.

En junio de 2010 se organizó una caravana mucho mayor para romper el asedio, esta vez formada por varios autobuses y camiones de carga repletos con cientos de personas y suministros provenientes de todo México. También estuve ahí. Incluso según mis parámetros, fue una experiencia que ponía los pelos de punta. La caravana fue repetidamente detenida por la policía a medida que se aproximaba a Copala. Como sombras, hombres armados con pasamontañas nos acechaban en las montañas que rodeaban la carretera. Era imposible discernir si eran policías, militares, paramilitares o alguna combinación de los tres. Poco antes de que cayera la noche, a varios kilómetros de la ciudad, la

---

70 Visitar la página de Facebook del Red Warrior Camp (Campamento de Luchadores Rojos) para más información sobre la resistencia al oleoducto Dakota Access Pipeline en La Reserva India *Standing Rock*, en Dakota del Norte.

policía uniformada anunció que no podían garantizar nuestra seguridad, y se marcharon.

Era uno de esos momentos de actuar o morir. Era imposible predecir qué iba a ocurrir. Los integrantes de la caravana acordamos dejar en manos de un grupo de triquis de San Juan Copala la decisión última sobre qué hacer. Esos líderes triquis decidieron aceptar sugerencias de todos los participantes. Se enfrentaban a una decisión muy difícil. Decidieron dar media vuelta.

Esto provocó un gran alboroto. La gente se gritaba una a otra en medio de la carretera intentando decidir qué hacer. Los lectores quizá recuerden la fecha de 31 de mayo de 2010 y la "Flota de la Libertad de Gaza": nueve trabajadores humanitarios fueron asesinados por el ejército israelí mientras intentaban romper el bloqueo impuesto a la franja de Gaza. Ese acontecimiento ocurrió pocos días antes de que partiera nuestra caravana. Parafraseando a los líderes triqui: "Palestina es conocida en todo el mundo. Aun así mataron a esas personas a sangre fría y no ha habido repercusiones. Nosotros somos un pequeño grupo indígena. Nadie nos conoce. Los paramilitares ya han demostrado que son capaces de asesinar y sabemos que el gobierno no hará nada. Les conocemos bien, es demasiado peligroso. Si no damos la vuelta, algunos de ustedes van a morir. Ya tenemos dos muertes en nuestras conciencias. No queremos más".

En respuesta, muchos participantes dijeron: "Es su única oportunidad. Nunca tendrán tanto apoyo. ¿Por qué nos llamaron si no creían que podíamos afrontar la situación? Si se echan atrás el gobierno lo tomará como un signo de debilidad y los destruirá en unos pocos meses. Será un retroceso para la autonomía indígena en general. Es algo más grande que ustedes, es más importante que cualquiera de nosotros. Si nos matan al menos hay alguna posibilidad de que México estalle". Los líderes volvieron a deliberar, y no cambiaron de opinión. A los pocos meses los paramilitares quemaron a los últimos habitantes del municipio autónomo, culminando en una ofensiva final de asesinatos y violaciones en septiembre de 2010. En 2016, los desplazados de Copala siguen acampando en el Zócalo de la ciudad de Oaxaca. Nunca han podido volver a casa.

Durante los últimos años he hablado con algunas de las personas que tomaron esa decisión. También he sabido que algunos de ellos acabaron migrando a través del corredor de Arivaca en 2011, tomando agua de la que dejamos en el camino. Puedo ver que la retirada todavía les afecta mucho. Puede que fuera el punto en que *La Otra Campaña* murió; puede que la retirada me salvara la vida. Nadie puede saberlo; no sé cómo habría actuado. Creo que ambas afirmaciones pueden ser correctas. Estuve de acuerdo en delegar la decisión en esas personas, y respeto lo que hicieron.

Tras la retirada de la segunda caravana escuché conversaciones de este tipo: "Les dejaron dos opciones: rendición o guerra". La respuesta era: "Los paramilitares están financiados por el gobierno. Nosotros somos pobres y nadie nos financia. Está muy bien hablar de la lucha armada, pero si íbamos a la guerra, ¿cómo y dónde conseguiríamos armas y municiones? ¿Nos las vas a proporcionar *tú*? Estábamos perdidos".

El asedio de San Juan Copala me enseñó una dura lección: la resistencia desarmada es suicida si te enfrentas a un enemigo lo suficientemente despiadado, pero la lucha armada sin apoyo estatal puede que también sea un suicidio. En 1943 George Orwell daba a entender que esa fue la razón por la que el fascismo triunfó en la guerra civil española. En *Looking Back on the Spanish War* (Volviendo la mirada a la guerra civil española) argumenta que el resultado de la guerra fue decidido en Londres, Washington y París cuando Occidente rechazó armar a las milicias revolucionarias.

En términos militares, temo que Orwell está en lo cierto. Cuando la resistencia desarmada se convierte en conflicto armado, las consideraciones de tipo militar no se pueden ignorar o esperar a que se solucionen solas. Entonces, ¿es mejor buscar algún apoyo estatal con la esperanza de ganar, o no hacerlo y que sea casi seguro perder? Cada situación es diferente. No sé la respuesta.

Afortunadamente existe otra forma de explicar esta historia. En términos revolucionarios podemos estar de acuerdo con Orwell en que el resultado de la lucha en España fue decidido realmente en Londres, París, Washington (y en Argel y Moscú y Marrakech), pero no por las autoridades. Fue una decisión tomada por la gente común, que optó por no alzarse ni extender la revolución española al resto del mundo.[71] Puede que no debamos confiar nunca en los jefes de los Estados, pero

71 Orwell, en *Homenaje a Cataluña*, escrito en 1938 unos meses después de luchar en el frente, está de acuerdo con esta idea.

si podemos tener la esperanza de que las personas con las que cuentan los gobiernos alguna vez se nieguen a obedecer sus órdenes.

Siempre y cuando la revuelta se extienda y las autoridades no sepan quién será la siguiente en romper filas, las reglas de la guerra clásicas no pueden ser aplicadas. En una situación tal, un populacho mal pertrechado puede ganarle la partida a un ejército bien equipado. Es lo que ocurrió en Francia en 1848, en Rusia en 1917 y en Egipto en 2011. En esos casos, fue solamente después cuando se estableció una nueva configuración de autoridades (supuestamente para completar y ejecutar la revolución), que el movimiento fue aplastado.

El 18 de marzo de 1871, los soldados franceses desacataron la orden de disparar a mujeres y trabajadores. Ese simple rechazo dio el pistoletazo de salida a la Comuna de París, una de las zonas autónomas revolucionarias más importantes de la historia, y fue casi suficiente para tumbar al gobierno de Francia. Por unos pocos días, todo el país se estremeció ante la posibilidad de la revolución, mientras todo el mundo esperaba a ver si otros soldados desertaban u otras ciudades se alzaban. Pero la Comuna fue derrotada desde el momento en que empezó a disparar contra el ejército que fue enviado para aplastarla. Hasta entonces el gobierno estaba aterrorizado con la posibilidad de que el resto de los militares se revelara; pero una vez que los soldados rasos percibieron a la Comuna como un enemigo militar, volvió a ser una guerra, y los Communards, deplorablemente poco equipados y superados en número, estaban condenados a la derrota.

Esto ilustra la diferencia entre guerra y revolución. Creo que los zapatistas lo entendieron: reconocieron que necesitaban la suficiente pólvora para repeler al gobierno mexicano, pero la amenaza de que su revuelta pudiera ser contagiosa era la principal arma en su arsenal.

Considerando todo lo anterior, la supervivencia a corto plazo de los territorios autónomos a menudo depende de la superioridad física sobre un enemigo despiadado, lo que desafortunadamente requiere de un suministro de armas y de proveedores. Lo he visto con mis propios ojos. La supervivencia a medio plazo depende en buena medida de que el impulso revolucionario se extienda lo suficiente como para evitar que la zona sea rodeada, embargada y ahogada económicamente hasta la sumisión; la supervivencia a largo plazo implica, en última instancia, algún tipo de transformación revolucionaria global. Cuanto más rápido ocurra todo esto, menos sangriento resultará.

Si algo positivo se puede extraer de la derrota en Copala es que parece haber advertido a luchas posteriores como las de Santa María Ostula y Cherán, ambas localidades de Michoacán. La comunidad Nahua de Ostula sentó un precedente en la región cuando se alzó en armas para proteger su territorio frente a la extracción de recursos que llevaban a cabo los cárteles locales, en connivencia con el gobierno estatal. La minería de hierro y la tala ilegal de un árbol en peligro de extinción, el sangualica, eran los objetivos.[72] La comunidad Purepe-

72 Ver el *Manifiesto Ostula*, redactado en junio de 2009.

cha de Cherán también se alzó en armas en 2011 para defender sus bosques comunitarios de las operaciones de tala, llevadas a cabo por los mismos actores que en Ostula.[73] Ambas comunidades han organizado rondas comunitarias para defenderse de los ataques. No sé de dónde salen las armas y el dinero que llegan a Ostula y Cherán, pero estoy dispuesto a apostar que parte de la explicación del éxito de las rondas y la expansión de la autonomía indígena en Michoacán reside en que esta pregunta ya ha sido contestada allí de alguna manera.

Cherán y Ostula se comprometieron a la autodefensa colectiva armada, y Copala no lo hizo. Copala fue aniquilada. La gente que me alimentó, que me contó historias, que se preocupó por mi bienestar y que permaneció a mi lado durante la segunda caravana se ha quedado viuda, huérfana, sin hogar, en la cárcel, en el exilio o muerta. Hasta este momento, Cherán y Ostula siguen en pie. Creo que no es ninguna coincidencia.

---

73 Ver el documental de 2013 *Guarda Bosques*, de Manovuelta.

“El precio de la libertad es la muerte”

-Malcolm X

Solidaridad

Por el momento asumiré que los lectores son ciudadanos del norte global, como yo, y al menos están algo molestos con el rumbo de las cosas. Si la transformación revolucionaria global es necesaria para prevenir el caos y la guerra a escala planetaria (o como mínimo evitar que se ponga peor de lo que está)[74]... ¿cómo participamos?

El trabajo solidario puede ser una de las vías de entrada. Desde el final de la Segunda Guerra Mundial, muchos lúcidos críticos del capitalismo han concluido que la probabilidad de una revolución en el norte global es nula, y que tiene más sentido enfocar la atención en otros lugares. Parece que en gran medida han acertado. Además, si asumimos que todas las vidas tienen el mismo valor inherente, no se puede negar que la mayoría de gente que más sufre no pertenece a ese norte global, y que tiene

74 Si nos centramos en el cambio climático, parece que el barco ya ha zarpado, pero podemos ejercer cierta influencia en cuan rápidamente nos acercamos al abismo. Al menos el actuar nos pone en contacto con nuestros deseos y hace de nuestras vidas algo interesante. Por el momento, algunos de nosotros somos capaces de evitar participar activamente en esos conflictos, pero hacerlo significa que gente más agresiva moldeará el contexto en el que vivimos. No conseguiremos el mundo que merecemos; obtendremos el mundo que tengamos la capacidad de concretar. Para adentrarse más en esta línea de pensamiento, ver *Desierto*, publicado anónimamente en Inglaterra y reimpreso en lengua castellana por Descontrol Editorial..

sentido priorizar el mayor sufrimiento. Pero este enfoque tiene algunos puntos débiles, y creo haberlos visto todos.

Los trabajadores solidarios se enfrentan a un aparente conflicto de intereses. Como casi todo el mundo, estamos sujetos al capitalismo global. También nosotros tenemos un futuro incierto por delante. Sentimos la responsabilidad de intervenir cuando las personas son sistemáticamente maltratadas en nuestro nombre, contra nuestra voluntad y con el dinero de nuestros impuestos. Pero parece que esa intervención a menudo hace que nuestras vidas sean más precarias e inestables, no menos. Mientras casi todo el resto de personas conduce sus vidas para que el nivel de precariedad que experimentan sea menor (por ejemplo, migrando), nosotros parecemos buscarla.

Solo hay un camino de salida para ese estado de disonancia cognitiva: reconocer cuanto de nuestro bienestar depende del bienestar del resto. La gente que trabaja de forma solidaria con migrantes y refugiados en Grecia lo está demostrando claramente.[75] Grecia podría ser expulsada de la Unión Europea en cualquier momento, o abandonarla por propia voluntad. Los trabajadores solidarios griegos podrían encontrarse sin la ciudadanía europea, al otro lado de la frontera. ¿Si los griegos no se preocupan hoy de los sirios, quién se preocupará de los griegos en el futuro?

Ese es el punto en donde las políticas del privilegio que tan presentes se encuentran en el mundillo activista

---

75 El campamento solidario de Lesbos en Mitilene es un ejemplo. Ver lesvossolidarity.org

estadounidense muestran todas sus deficiencias. Quienes están motivados por la culpa y la vergüenza y no por el amor y la rabia, eventualmente se retiran; quienes no luchan por sus propias vidas tarde o temprano abandonarán. Siempre.[76]

Nos adentramos en la profundidad de las montañas, más allá de donde nunca habíamos estado. Pensábamos que por esa zona había tráfico, pero era tan difícil llegar a ella que nunca lo pudimos verificar. Eran otras montañas y no las conocíamos bien.

Llegamos al sendero pronto por la mañana del segundo día. En menos de cinco minutos nos encontramos con un migrante que caminaba solo. Parecía cansado pero estaba en buena forma. Nos preguntó cuanto más debía caminar. Le dije que realmente no lo sabía. Le dimos agua y comida. Volvió a caminar y nosotros nos fuimos por otro lado.

El sendero era el peor que he visto nunca, y he visto unos muy malos. Cruzaba cinco grandes cañones, que subían y bajaban unos 600 metros cada uno. Había señales de que era bastante transitado. Encontramos un altar en un cerro entre dos de esos cañones, cuidadosamente preparado en pequeñas cuevas que acogían a

76 Ver "Lines in the sand" (Líneas en la arena), de Peter Gelderloos, y "Another Word For White Ally Is Coward" (Otra palabra para aliado blanco es Cobarde", de Anti-State STL.

diferentes santos. Progresábamos lentamente, y por la tarde ya casi nos quedamos sin agua. Estaba claro que no podríamos volver para que nos recogieran antes de que anocheciera. Decidimos buscar un lugar donde dormir y nos dejamos caer.

Cuando nos acercábamos al fondo de un cañón, giramos una esquina cerca de una gran cueva. Mi compañero y yo nos detuvimos en seco, "Mierda", dijo. "Esto es jodido. Corta eso." Alguien había cortado un buen trozo de cuerda para colgar de un árbol un sostén y ropa interior femenina frente a la cueva. La ropa estaba colgada en la posición que deberían tener si una persona estuviera realmente colgada. Me imaginé que esas prendas habrían pertenecido a alguien que fue violada ahí, y que fueron dejadas como trofeo o recuerdo por el violador. Escuché varias historias y vi bastantes pruebas de este tipo de prácticas en otros lugares. Corté la cuerda.

Ya casi estaba oscuro. Alcanzamos el fondo y dormimos en medio de una espesa maraña de acacias "uña de gato". Uno de mis compañeros nos despertó en medio de la noche gritándole a la nada.

El día siguiente fue mucho más caluroso. No lo había previsto al estar a principios de año. Nos quedaba muy poca agua y dos cordilleras por atravesar. Para cuando alcanzamos la cumbre de la última de ellas empecé a sentirme enfermo. Me encontraba inusualmente débil y mi corazón latía alarmantemente rápido. Me estiré bajo un pequeño árbol para evitar el sol. Dije algo a uno de mis compañeros. No me contestaron, porque en realidad le hablaba a una roca.

"Lo siento", dije cuando les encontré de nuevo. "No me siento bien. Vigílenme". Caminé los últimos kilómetros hasta el auto, aturdido y sin nada para beber. No dejaba de pensar en el Gatorade que había dado al migrante y me preguntaba si estaría bien, y que no estaría mal encontrar uno de nuestros bidones de agua. Me preguntaba cómo me encontraría si no tuviera un teléfono celular en el bolsillo, ni un GPS alrededor de mi cuello, ni mis amigos al lado. Parecía haber huesos por todas partes: ciervos, coyotes, conejos, mofetas, vacas...

"Ahora caminamos por el valle de la sombra de la muerte", dijo uno de mis compañeros. Yo había trabajado en el desierto durante años y estaba en excelente forma. Es increíble lo rápido que nos podemos deteriorar en el sol sin agua para beber.

Por mi parte, yo llegué al desierto en bancarrota y siendo no muy joven, un proscrito tardío de Generación X del movimiento antiglobalización. Habiendo recorrido ese camino desde el principio hasta su amargo final, acabé en Tucson sin perspectivas de trabajo y con un tenebroso historial laboral, pero con un buen currículum en disturbios. Y no se me ocurrió nada mejor que hacer. Buena parte del resto de voluntarios eran de la Generación del Milenio que se habían endeudado enormemente y vieron cómo sus estudios no les garantizaban para nada un lugar en la clase media.

No Más Muertes nos acogió y nos dijo: "No les podemos pagar, pero les cuidaremos. Aquí tienen un teléfono celular, las llaves de las furgonetas, dinero para gasolina, este es el número de una abogada si tienen problemas, el de un doctor si enferman o quedan heridos. Esto es algo que pueden hacer, algo de lo que sentirse orgullosos. Confiamos en ustedes, solamente tienen que ocuparse de hacer el trabajo". No hay que infravalorar el efecto que unas palabras como estas pueden tener. Yo estaba acostumbrado a llegar a esas conclusiones por mí mismo, pero esta pequeña red de seguridad me hizo sentir invencible.[77] Funcionó durante mucho tiempo. Dejé el desierto siete años más viejo y básicamente en la misma situación que cuando empecé.

No estoy para nada equiparando mis experiencias con las de los migrantes y refugiados. Pero pasé mucho tiempo en su compañía y acabé dándome cuenta de que muchas de las cosas a las que aspirábamos eran muy similares. En un mundo en el que parece que no tenemos cabida, queríamos desesperadamente que nos dijeran "No eres prescindible; tienes algo que ofrecer; puedes ser útil. Eres deseable; eres respetable; eres querido. Lo que haces importa; tus acciones importan; tu vida tiene sentido. Esto es algo que puedes hacer; algo de lo que sentirte orgulloso; algo más grande que tu mismo". A todo esto se le llama dignidad. Es algo que la gente desea tener;

---

77 Trabajar en el desierto me ha enseñado mucho acerca de lo resistentes que pueden ser los proyectos cuando se basan en relaciones intergeneracionales. Cuando personas de todas las edades aportan diferentes recursos al proyecto, el todo pasa a ser mucho mayor que la suma de sus partes.

su ausencia atormenta de forma parecida a las personas que pierden una extremidad y, de alguna manera, siguen sintiéndola.

Las personas indocumentadas y desplazadas no la necesitan menos que nosotros; de hecho la necesitan todavía más. Muchas veces he escuchado decir "Me gustaría poder quedarme y trabajar con ustedes; me gustaría salir con ustedes al desierto y dejar agua en los caminos; me gustaría poder hacer algo por mi gente." Sobre todo por parte de jóvenes centroamericanos sin un lugar a donde ir.

Lo que los cínicos pagadores nos ofrecen es una perversión de la dignidad: una pistola, unos dólares y una licencia para matar; un salario, una hipoteca y una resignación aletargada a algo que sabemos que está mal. El nihilismo nos llena de calorías vacías, no es una comida completa. Una cosa es tener un arma en la mano, otra muy diferente es sostenerla estando guiado por sentimientos de amor. El Che tenía razón en eso.

Cuando las personas encuentran un propósito y tienen las herramientas para llevarlo a cabo, parecen adquirir poderes sobrehumanos. Es como si pudieran atravesar paredes y las balas no les alcanzaran. Esa es la forma en la que la gente cruza la frontera para volver a su hogar. Es la razón por la que Harriet Tubman nunca perdió a ningún pasajero y por la que Caballo Loco nunca perdió una batalla;[78] es la razón por la que *los caracoles avanzan*

78 Para aprender más acerca del apogeo de las trayectorias de Harriet Tubman y Caballo Loco y lo que posiblemente fueron los dos actos más grandiosos de acción directa en la historia norteamericana, véanse *Jailbreak Out of History* por Butch Lee, en

y Kobane no cayó.[79] "Esperanza con gatillo", se decía en la *Segunda Declaración de la Selva Lacandona*, en 1994. "Armas con brújula", podrían haber añadido.

Y es la razón por la que en todos estos años de trabajo en el desierto, nunca nos rendimos.[80]

"También estoy descubriendo un nivel de fuerza y de capacidad para seguir siendo humanos en las más terribles circunstancias que nunca había visto antes. Creo que la palabra concreta es dignidad. Ojalá pudieran conocer a estas personas. Quizá, con suerte, algún día lo hagan."

-Rachel Corrie, escribiendo a su madre, 28 de febrero de 2003.

---

lo que refiere a la Redada del Río Combahee de 2 de junio de 1863 y la Batalla de Greasy Grass de 25 a 26 de junio de 1876.

79 Ver *Understanding the Kurdish Resistance (*Entender la resistencia kurda), publicado por Crimethinc.

80 "Somos un ejército de soñadores, y por ellos somos invencibles", Subcomandante Marcos.

Luther apareció por el campamento en invierno de 2011. Como muchos otros estaba congelado, deshidratado y medio muerto. Como casi ninguna otra, tenía gusanos y caminaba a cuatro patas. Luther es un gato: el gato más increíble que haya vivido nunca.

Cuando Luther llegó por primera vez me provocó aprensión. No estaba convencido de que fuera buena idea añadir otra criatura a nuestra lista de preocupaciones. Pero pasaron las semanas y nadie le pudo encontrar otro hogar.

En esa época llegó una mujer de Oaxaca. Hacía frío y llovía. Ella estaba sentada en la tienda médica, empapada hasta los huesos, temblando, llorando y muy confusa. Se veía que no sabía si confiar en nosotros.

De repente, Luther se coló en la tienda, saltó a su regazo y empezó a "amasar" sus piernas de forma entusiasta mientras ronroneaba. El cambio en el semblante de la mujer fue increíble. Parecía como si se hubiera quitado un enorme peso de sus espaldas.

"Oh... qué lindo... qué cariñoso el gato..."

Miré sorprendido a Luther mientras este seguía con sus quehaceres. "Quizá si tengas un lugar aquí", recuerdo haber pensado.

Luther había encontrado su hogar y al cabo de poco tiempo ya parecía un jaguar en miniatura: un lustroso pelo negro, fuertes y marcados músculos y unas enormes patas. Creo firmemente que llegó a entender que tiene un papel específico en el campamento, y que cumplir con sus obligaciones le asegura su cena. Su trabajo es hacer sentir mejor a la gente. Una y otra vez vi la demostración de su misteriosa habilidad de arrancar del desespero a migrantes y voluntarios, justo en el momento que se sentían más débiles y vulnerables. Lo hizo por mí unas cuantas veces.

Tengo dudas en decir esto, pero creo que hay algo en la oscura y apuesta masculinidad de Luther que puede ser especialmente reconfortante para algunas mujeres. Una vez pasé casi toda una semana en el campamento con tres mujeres guatemaltecas que pasaban el tiempo inventando hilarantes y obscenos cuentos sobre las hazañas sexuales de Luther.

"Oh, Luther tiene tres mujeres en el campamento totalmente enamoradas de él, pero no tiene suficiente. Sale por la noche y nos deja solas esperando su regreso. ¿Cómo nos las arreglaremos sin él? ¿Qué vamos a hacer?"

Pero Luther no es solamente un amante. También es un luchador. Tiene otro trabajo. Lucha contra las serpientes de cascabel.

Personalmente me gustan esas serpientes. Son criaturas razonables. Por lo general no son agresivas. Nosotros acampamos en su territorio. Pero pueden ser peligrosas. Una vez una de ellas mordió a un migrante en la tienda médica. No es buena idea que se escurran en una tienda de ayuda humanitaria.

Luther patrulla sus dominios siempre observando y se vuelve loco cuando encuentra a una serpiente. Sisea y maúlla hasta que alguien se da cuenta de lo que pasa, y normalmente somos capaces de capturar a la serpiente y dejarla en algún otro lugar alejado del campamento. A veces intenta luchar contra ellas. Es arriesgado. Una vez una le mordió la cara, se hinchó como una sandía, pero se recuperó.

A Luther se le conoce en muchos lugares, desde Tacoma a Tegucigalpa. Una vez un joven del norte de Sonora apareció en el campamento, necesitando agua y medicinas para el resto de su grupo. Tenía el aspecto de un lobo hambriento, desesperado y perseguido. Luther estaba sentado en la mesa.

"¡Lucer!", exclamó el joven, con una enorme sonrisa que llenaba toda su cara maltratada por el clima. Le acogió en sus brazos y empezó a frotarle vigorosamente su peluda cabeza. "¡A la verga, güey!", añadió, una frase tan obscena que me niego a traducir. Por un segundo, el joven parecía un adolescente normal más que una bestia despreciada sin nación.

Nuestro trabajo solidario en el desierto dio un gran paso adelante cuando Luther apareció en el campamento. Se convirtió en nuestro avatar, nuestra responsabilidad colectiva y el sistema de creencias unificador de nuestro trabajo. Ninguna otra persona de No Más Muertes ha pasado tanto tiempo en el campamento, ni de lejos.

Cuando se escriba el Gran Libro de los Nombres, (aquel que honre a todos los animales humanos y no-humanos que han contribuido a la liberación colectiva de toda la humanidad y todos los seres sintientes), el nombre de Luther estará en él.

Hogar

El poema más corto jamás escrito: "Yo.
Nosotros". -Muhammad Ali, 1974.

Somos el producto de nuestro entorno y el mío lo conozco bien. La cultura estadounidense tiene algunas cosas buenas. También tiene una fuerte tendencia hacia el individualismo y el excepcionalismo. Muchos indocumentados me han intentado hacer comprender lo difícil que es acostumbrarse a eso. Para aquellos de nosotros que hemos nacido inmersos en este ambiente, es complicado incluso percibirlo. Y hacerlo no es auto-odio o mero antiamericanismo, es una toma de conciencia. Todo el mundo tiene la responsabilidad de examinarse a sí mismo.

Como estadounidenses se nos dice que debemos percibirnos como individuos fuertes en la tierra de la meritocracia y de las oportunidades iguales para todos. Sentimos que debemos ser capaces de levantarnos siempre solos cuando caemos, y nos sentimos unos fracasados cuando no podemos hacerlo. Nos lo tomamos todo de forma personal, no sabemos ver las estructuras y no ponemos en común los recursos. Cierto, somos orgullosos; podemos ocuparnos de nosotros mismos: pobreza a la riqueza, peones a reyes. Eso hace que seamos increíblemente fáciles de controlar. Nos desgastamos pagando por la comida, por la ropa, por tener un techo bajo el que dormir, por la sanidad y por el transporte, todo de forma individual. Corremos frenéticamente sin movernos en nuestra rueda de hámster. Tan pronto como tenemos hijos no hay forma imaginable de hacer otra cosa. No es extraño que la única alternativa aparente sea la cultura juvenil; realmente no hay forma de mantenerse en el juego siendo adulto.

Como estadounidenses se nos dice que vivimos en la cumbre, separados y exonerados de las fuerzas que afectan al resto del mundo. Se nos cuenta que nuestra historia es inherentemente diferente de la de otros lugares, que tenemos una misión única para transformar el mundo, y que esa historia y esa misión nos hace superiores al resto. No necesitamos entender nada de lo que ocurre en el resto del mundo: no nos afecta. Pero al mismo tiempo, no podemos evitar entrometernos en todo; estamos decididos a transformar el mundo a nuestra imagen y semejanza. Esta combinación de egoísmo, ignorancia y arrogancia puede ser algo difícil de digerir.

La política estadounidense de saqueo en Irak puede haber significado el punto de no retorno. Pronto será imposible seguir viendo el mundo de la forma como lo hacemos los estadounidenses. Nuestra arrogancia hará que nos rodeen por todas partes. Todas estas tendencias se demostrarán cada vez más y más inadaptables; o rompemos con esos hábitos o estos nos destruirán. No será fácil, pero la diferencia entre difícil e imposible es enorme. Podemos hacerlo.

Esta visión distorsionada del mundo no es exclusiva de mi cultura. Sus raíces se hunden en la separacion: entre el "yo" y "la otra", entre el individuo y el colectivo, entre lo espiritual y lo físico, entre una familia de humanos y otra, entre la humanidad y el resto de seres vivos. En la civilización posmoderna, estas divisiones no son superadas en ningún lugar. Cada lugar es diferente, pero en todas partes hay desequilibrio. No es de extrañar que nos sintamos perdidos en un laberinto, cada uno de nosotros aislado en un conjunto de círculos concéntricos, cada frontera más fortificada que la anterior. Nos está volviendo locos. No se supone que debamos superarlos solos.

La oración Lakota *Mitákuye Oyás 'in* (Todas mis relaciones; Todas están relacionadas) no es una metáfora sino una precisa descripción de la realidad. Si volvemos la cabeza lo suficientemente atrás, cada ser humano del planeta comparte ancestros; si vamos todavía más atrás, lo mismo es válido para cada ser vivo; finalmente, toda la existencia proviene del Big Bang. Cada vez que alguien se cree ajeno al entramado que es la vida, acaba en la misma posición: vigilando los muros de un imperio que se desmorona mientras sus olvidados parientes se juntan para derruir los templos y para arrancarles la piel. Los defensores de la segregación nos están conduciendo por el camino de la destrucción segura. Abandonaron a sus familias; es el momento para que nosotros encontremos el camino de vuelta al hogar. Hay una luz que nos guía a través del desierto: la fiel estrella del norte.

Por la anarquía: la interacción transformadora entre el caos y el orden,

un ex-trabajador de ayuda humanitaria del desierto
Norteamérica
2011-2016

En recuerdo de las trece personas que murieron en mi autobús en México: podías haber sido yo; yo pude haber sido tú. Descansa en Paz.

La presente obra se acabó de imprimir en octubre de 2018 en los talleres descontrolad@s de Barcelona.